GRAMMAIRE ANGLAISE

par

Claude Vollaire

SOMMAIRE

© BORDAS, Paris, 1985
ISBN 2-04-016215-1

INTRODUCTION

Ce précis de grammaire anglaise a pour but essentiel de permettre à tous ceux qui souhaitent mettre ou remettre leurs connaissances à jour de trouver des explications claires sur ce qu'il est convenu d'appeler « la grammaire de base ».

Il n'est certes pas ici question de rivaliser avec les ouvrages fondamentaux de grammairiens appartenant aux différentes écoles structuralistes, transformationnelles et autres. Pour certains, ceci ne sera qu'un utile aide-mémoire : on retrouvera rapidement les règles essentielles. Pour d'autres, ce sera un outil pratique et efficace. Toutes les explications sont illustrées par de nombreux exemples ; on trouvera en fin de volume un index renvoyant aux principales notions.

Ainsi, les élèves des collèges et des lycées, les étudiants qui travaillent seuls ou sous la conduite d'un professeur, ceux qui éprouvent, pour une raison ou pour une autre, le besoin de se remettre à l'étude de l'anglais pourront trouver les réponses à la plupart des questions qu'ils se posent à propos de la grammaire anglaise. Bien sûr, les emplois trop rares, ou les explications destinées aux spécialistes n'ont pas été indiquées, de manière à ne pas alourdir ce qui ne doit rester qu'un précis.

Dans un souci d'efficacité, les termes "techniques" ont été définis, et lorsqu'un même phénomène grammatical comporte plusieurs appellations, celles-ci ont été données.

Enfin, ceux qui ont des problèmes avec les nombres, ou qui hésitent sur les notions d'heures ou de dates, trouveront un bref résumé à la fin de l'ouvrage — leur permettant une consultation plus rapide — rappelant ce qu'il est essentiel de connaître.

C.V.

1. LE PRESENT PROGRESSIF

Le présent progressif (ou continu) sert surtout à décrire les actions qui sont en train de se dérouler au moment où l'on parle.

A. Forme

Forme affirmative : be au présent + forme en -ing du verbe.

Forme négative : be au présent + not (n't) + forme en -ing du verbe.

Forme interrogative : be au présent + sujet + forme en -ing du verbe.

He is (he's) working.	He is not (isn't) working.	Is he working ?

Voir n° 49 pour les règles d'orthographe du participe présent et tableaux de conjugaisons pour les formes contractées, pp. 118-121.

B. Emploi

1. Actions qui se déroulent **au moment où l'on parle** (souvent avec **now** ou **at the moment**) :
> What is John doing now ? He's reading a book.

2. Actions qui se déroulent pendant une **période de temps limitée,** mais pas forcément au moment même où l'on parle :
> Mary is studying German this year.

3. Actions prévues dans le futur (projets, etc.) :
> What are you doing next week ? (= *Qu'est-ce que vous faites la semaine prochaine ?* — Qu'avez-vous prévu...?)
> We're going to Spain this summer. (= *Nous allons en Espagne cet été* — c'est prévu...)

Voir aussi sens futur, n° 2, B3 et going to, n° 10, B.

4

2. LE PRESENT SIMPLE

Le présent simple a des emplois différents du présent progressif (ou continu). Il faut bien les distinguer. Par exemple, le présent simple sert à décrire des actions qui se reproduisent souvent (on dit parfois que c'est l'aspect "itératif" du présent). Aux formes interrogative et négative, on fait intervenir l'auxiliaire do *qui joue le rôle d'opérateur.*

A. Forme

Forme affirmative : I, you, we, they + base verbale.
He, she, it + base verbale + s (ou es).

Forme négative : I, you, we, they + do not (don't) + base verbale.
He, she, it + does not (doesn't) + base verbale.

Forme interrogative : Do + I, you, we, they + base verbale.
Does + he, she, it + base verbale.

You read a lot. He/she reads a lot.	You do not (don't) read a lot. He/she does not (doesn't) read a lot.	Do you read a lot ? Does he/she read a lot ?

Voir aussi n° 49

B. Emploi

1. Actions qui se reproduisent souvent, qui se répètent (c'est l'aspect "itératif" du présent) :
> I take the bus every day.
> We don't work on Saturdays.

2. Actions qui se produisent ordinairement pendant une période de temps assez longue :
> John drinks tea (= *John boit du thé* — il aime le thé, c'est ce qu'il boit d'ordinaire).
> We study English at school.

3. Autres emplois :
- Vérités générales (vérités scientifiques, par exemple) :
> Water boils at 100°C.
> The Earth turns round the Sun.
- Actions qui se déroulent rapidement au moment où l'on parle (reportage sportif, par exemple) :
> Dillon loses the ball. Evans gets it and gives it to Blake who goes past two men...
- Narration d'une histoire, description de l'action dramatique d'un film, etc. : After 20 years of happy marriage, Tom faces new and

5

unpredictable problems as his wife Mary goes back to work...

- Sens futur, surtout lorsqu'on parle d'un programme, d'un plan, d'un emploi du temps ou d'un horaire de bus, de train etc. :

What time does your train leave ? It leaves at 10.30 on Thursday and we arrive in London at 13.15.

Voir également l'emploi du présent simple dans les propositions avec if (n° 27, A1), dans les subordonnées de temps (n° 29, B2) et avec here and there (n° 47, A2).

Remarque :

Certains verbes s'utilisent surtout au présent simple.

a. Les verbes exprimant la pensée, l'opinion, le souvenir (ou l'oubli), le savoir, etc. :

Do you think English is difficult ? I don't think so.
She knows him but she doesn't remember when and where she met him.

b. Les verbes qui permettent d'exprimer un sentiment, un souhait ou un désir :

John wants a glass of water. I like tea. We wish you a happy birthday.

c. Les verbes qui permettent de rapporter ce qui se dit (**say, tell, ask, answer,** etc.) :

Mary says she's tired. They ask if they can come.

d. Les verbes exprimant un état, une apparence, un résultat :

This problem seems difficult to solve.

e. Les verbes de possession :

This car belongs to you.

3. LE PASSE (OU PRETERIT) SIMPLE

Le passé simple (ou prétérit simple), que les Anglais appellent souvent "simple past", sert à raconter des histoires, à décrire des actions qui se sont passées et qui sont complètement terminées. Ce temps correspond au passé simple ou au passé composé français.

A. Forme

Forme affirmative : base verbale + ed (pour les verbes réguliers) à toutes les personnes.

Forme négative : did not (didn't) + base verbale.

Forme interrogative : did + sujet + base verbale .

He played football yesterday.	He did not (didn't) play football yesterday.	Did he play football yesterday ?

Les verbes irréguliers *(voir liste p. 122 à 124)* conservent la même forme à toutes les personnes, à l'exception de **to be** *(voir p. 120)*.

1. Actions passées et complètement terminées :

> Did they enjoy themselves ? Yes, they did.
> They woke early in the morning. He went to get water from the river and she made the bed...

2. D'une manière générale, on peut dire que le passé (ou prétérit) simple s'emploie lorsqu'on se réfère à un **moment précis du passé.** On se servira donc très souvent de "marqueurs de temps" apportant une précision sur le moment où l'action s'est passée :

> When did you see him ? I saw him yesterday.
> John went to London last week (last year/last month).
> They arrived five minutes ago.

Remarque :

L'adverbe *ago* fixe un moment dans le passé. On l'utilise avec une expression de temps qui peut être définie (two months ago, five years ago, a century ago, etc.) ou indéfinie (some time ago, ages ago, a long time ago, etc.).

4. LE "PRESENT PERFECT" SIMPLE

Le "present perfect" établit un lien entre une action passée et le présent (résultat, action non terminée, etc.). Il se forme avec have *au présent et le participe passé du verbe.*

Forme affirmative : have au présent + participe passé. Pour les verbes réguliers, le participe passé est identique au prétérit simple *(pour les verbes irréguliers, voir p. 122 à 124).*

Forme négative : have au présent + not + participe passé.

Forme interrogative : have au présent + sujet + participe passé.

Mary has bought a new car.	Mary has not (hasn't) bought a new car.	Has Mary bought a new car ?

1. Résultat présent d'une action passée :

> I've made my bed.
> John has bought a dictionary.

2. Action qui s'est passée pendant une **période de temps qui n'est pas encore terminée** (aujourd'hui, cette semaine, ce mois-ci, etc.) :

> Have you met Mr Morris today ? No, I haven't. In fact I haven't seen him this week.

3. Action qui a commencé dans le passé et s'est prolongée jusqu'au moment où l'on parle. Dans ce cas, on utilise **for** lorsqu'on exprime la durée de cette action et **since** quand on en donne le point de départ :

> How long have you lived in London ? Well, I have lived in London for three months. I've lived here since February.

Remarque :

On emploie le present perfect avec **just** pour dire ce qui vient d'arriver, de se passer (on appelle parfois cet emploi "passé immédiat") :

> We've just come back home. *(= Nous venons de rentrer à la maison.)*
> I've just seen Peter. *(= Je viens de voir Peter).*

5. LE "PAST PERFECT" SIMPLE

Le "past perfect" ou "pluperfect" correspond le plus souvent au "plus-que-parfait" français. Il se forme avec had *(passé de* have*) et le participe passé du verbe.*

A. Forme

Forme affirmative : had + participe passé.

Forme négative : had not (hadn't) + participe passé.

Forme interrogative : had + sujet + participe passé.

Bill had seen the house before.	Bill had not (hadn't) seen the house before.	Had Bill seen the house before ?

Action qui s'est produite avant une autre dans le passé. Si l'on décrit les deux actions, on emploie le "past perfect" pour exprimer celle qui s'est produite la première, et le prétérit pour celle qui s'est produite ensuite.

> After we'd had lunch at a restaurant, we went to the cinema. *(= Après avoir déjeuné dans un restaurant, nous sommes allés au cinéma.)*
>
> They had left when we arrived. *(= Ils étaient partis quand nous sommes arrivés.)*

Attention :

Comparer cet emploi avec

> They left when we arrived. *(= Ils sont partis à notre arrivée.)*

6. LE PASSE (ou PRETERIT) PROGRESSIF

Le passé (ou prétérit) progressif (ou continu) sert à décrire ce qui était en train de se passer à un certain moment, ou pendant un certain temps.

A. Forme

Forme affirmative : was (were) + forme en -ing du verbe.

Forme négative : was (were) + not + forme en -ing du verbe.

Forme interrogative : was (were) + sujet + forme en -ing du verbe.

You were listening to me.	You were not (weren't) listening to me.	Were you listening to me ?

B. Emploi

1. Action qui était en train de se dérouler à un moment précis du passé :

> What were you doing at eleven yesterday morning ?
> Well, we were having a cup of coffee in the kitchen.

2. Action qui était en train de se dérouler lorsqu'une autre action s'est produite :

> John was walking down the street when I saw him.
> *(= John marchait dans la rue quand je l'ai vu.)*

7. LE "PRESENT PERFECT" PROGRESSIF

Le "present perfect" *progressif (ou continu) permet de montrer qu'une action commencée dans le passé a duré un certain temps, ou continue au moment où l'on parle, par exemple. Ses emplois sont différents de ceux du* "present perfect" *simple. Il convient donc de bien étudier les différences.*

A. Forme

Have (has) been + forme en -ing du verbe.

Bob has been (Bob's been) watching TV all day.	Bob has not (hasn't) been watching TV all day.	Has Bob been watching TV all day ?

B. Emploi

1. Actions qui ont commencé dans le passé et qui continuent dans le présent :

How long has he been working in the garden ? *(= Depuis combien de temps travaille-t-il dans le jardin ?)*
I have been studying English for ten years. *(= J'étudie l'anglais depuis dix ans.)*
John has been writing letters since nine o'clock this morning. *(= John écrit des lettres depuis neuf heures ce matin.)*

2. Actions qui viennent de se terminer ou qui se sont terminées peu de temps auparavant :

What have you been doing this afternoon ? I have been playing football (= *J'ai joué au football* — Le match s'est terminé il y a peu de temps).

Remarque :

Il faut se souvenir que la forme progressive « actualise l'action ». Le "present perfect" progressif met donc toujours l'accent sur la durée de l'action, ou sur le fait qu'elle se déroule encore au moment où l'on parle.

8. LE "PAST PERFECT" PROGRESSIF

Le "past perfect" progressif (ou continu) met l'accent sur la durée d'une action qui s'est prolongée dans le passé.

A. Forme

Forme affirmative : had been + forme en -ing du verbe.

Forme négative : had not been + forme en -ing du verbe.

Forme interrogative : had + sujet + been + forme en -ing du verbe.

He had been (he'd been) waiting for hours.	He had not (hadn't) been waiting for hours.	Had he been waiting for hours ?

B. Emploi

Action qui avait duré dans le passé pendant un certain temps ou jusqu'à un certain moment :

> We'd been playing cards for an hour when you arrived.
> Mr Jones had been living in Bath for twenty years when one day he decided to move.

9. "USED TO" (PASSE REVOLU)

A. Forme

Forme affirmative : used to + base verbale.

Forme négative : did not (didn't) use to + base verbale (ou never used to, pour donner un sens plus emphatique à la négation).

Forme interrogative : did + sujet + use to + base verbale.

He used to smoke.	He did not (didn't) use to smoke.	Did he use to smoke ?

"Used to" sert à dire que quelque chose **se produisait souvent dans le passé** mais plus maintenant, ou à décrire une habitude passée :

> We used to live in the country.
> I used to play tennis when I was young.

Voir n° 10 (will), n° 19 A4 (would).

Attention :

Ne pas confondre avec la forme **be used to** + forme en-ing du verbe, qui signifie que l'on est habitué à quelque chose ;

> He's used to working hard. *(= Il est habitué à travailler dur.)*
> I am not used to being spoken to in that rude way. *(= Je ne suis pas habitué à ce que l'on me parle de cette façon grossière.)*

Voir aussi n° 31.

10. LE FUTUR

Il y a de nombreuses manières d'exprimer le futur. On le forme souvent à l'aide de will *(ou* shall*), mais aussi avec d'autres expressions telles* be going to *ou le présent progressif.*

1. Forme

Forme affirmative : will (ou 'll) + base verbale.
1res personnes : shall (ou 'll) + base verbale.

Forme négative : will not (ou won't) + base verbale.
1res personnes : shall not (ou shan't) + base verbale.

Forme interrogative : will + sujet + base verbale.
1res personnes : shall + sujet + base verbale.

They will ('ll) arrive before tea-time.	They will not (won't) arrive before tea-time.	Will they arrive before tea-time ?

Remarque :

Le fait que **shall** et **will** soient contractés en *'ll* a entraîné une beaucoup plus grande fréquence de **will** par rapport à **shall**, qui n'est pratiquement plus utilisé qu'à la orme interrogative.

2. Emploi

• Action qui se passera dans le futur :

John will go to Australia next year.

• On l'emploie pour exprimer une action future que l'on ne peut pas contrôler :

Do you think it will rain tomorrow?

Petrol will be very expensive in a few years.

• Il exprime aussi des actions que l'on décide de faire au moment où l'on parle :

I think I'll have a cup of tea.

Remarque :

Will peut aussi être utilisé pour exprimer une requête polie :

Will you shut the door, please?

une invitation :

Will you sit down, please?

un ordre strict :

You will do as we tell you (will est accentué).

B. Be going to

1. Forme

Be (conjugué) + going to + base verbale.

It is ('s) going to rain.	It is not (isn't) going to rain.	Is it going to rain ?

2. Emploi

• Intention (action que l'on a déjà décidé d'accomplir dans le futur) :

What are you going to do? I'm going to clean my room.

• Prédiction, surtout appuyée sur des indices dans le présent. Cette prédiction est souvent faite pour un futur proche (c'est pourquoi **be going to** est quelquefois appelé "futur proche") :

The sky is very cloud. It's going to rain. (C'est parce que le ciel est très nuageux que je prédis qu'il va pleuvoir.)

Be careful! You're going to fall down!

Remarque :

Le passé de **be going to (was/were going to)** exprime des intentions ou des prédictions passées :

We were going to run out of petrol and had to find a filling station.

C. Le présent continu

Voir n° 1, B, 3.

13

Voir n° 2, B, 3.

1. Forme

Will be + forme en -ing du verbe.

2. Emploi

• Action qui doit se produire dans le futur de manière presque certaine :

> On Friday morning, I'll be shopping in London.

• Action qui durera un certain temps dans l'avenir :

> Next month, I won't be writing letters and answering the telephone. I'll be lying on the beach.

1. Forme

Will have + participe passé.

2. Emploi

Action qui sera achevée dans le futur :

> We'll have finished our work by ten.
> He won't have read the article.
> Will you have finished painting the door ?

Remarque :

La forme continue de ce temps existe mais est peu utilisée :

> By eight o'clock, I'll have been digging the garden for more than two hours.

1. Be about to

• **Forme**

Be about to + base verbale.

• **Emploi**

Be about to sert à exprimer ce qui va se passer dans un futur très proche, de ce qui est sur le point d'arriver (on parle quelquefois de "futur immédiat") :

> Hurry up! The train is about to leave. (= *Le train est sur le point de partir.*)

2. Be to

- **Forme**

Be to + base verbale.

- **Emploi**

On se sert de **be to** pour exprimer ce qui a été officiellement prévu de faire dans le futur, ou pour exprimer des ordres (que l'on donne ou que l'on reçoit). Il faut remarquer que **be to** s'emploie surtout dans la langue écrite :

Prince Charles is to visit France next week.

11. BE, HAVE et DO

Be, have *et* do *sont le plus souvent employés comme auxiliaires (ils aident à former les temps des verbes).* Be *sert également de verbe de liaison;* have *et* do *sont aussi utilisés comme verbes ordinaires.*

A. Les auxiliaires be, have et do

A la forme affirmative, be et have servent à former certains temps des verbes.

A la forme négative, on utilise be, have et do ou un modal *(voir n° 13)* + not (n't).

A la forme interrogative, on trouve be, have et do (ou un modal) avant le sujet.

He is reading a newspaper.	He is not (isn't) reading a newspaper.	Is he reading a newspaper ?
They have bought a new car.	They haven't bought a new car.	Have they bought a new car ?
He drinks coffee.	He doesn't drink coffee.	Does he drink coffee ?

Be, have, do *(ou un modal) sont utilisés aussi dans les réponses courtes et les "question-tags" (voir n° 24) ainsi que dans la forme emphatique (voir n° 47).*

Remarque :

On n'utilise pas d'auxiliaire au présent et au prétérit simples à la forme affirmative (sauf à la forme emphatique, cf. 47 B2).

1. Avec un attribut, un complément ou une locution adverbiale :
   I am happy. Peter wasn't at school yesterday.
   We've been here for a couple of hours.

2. Comme auxiliaire de la forme progressive (ou continue) :
   Where are you going?

3. Comme auxiliaire du passif *(voir n° 26)*.

C. *Les autres emplois de have*

1. Avec le sens de « posséder » : **have (got).**
   You had a bicycle last month. — Yes, but I haven't got one now.

2. Comme expression équivalente de **must : have (got) to.**
   Have I got to wash my hands? — Yes, you have to wash your hands before dinner.

3. Comme verbe ordinaire :
   They are having their dinner (avec le sens de "eat").
   Did you have a good holiday? (avec le sens de "spend").
   We didn't have much difficulty (avec le sens de "experience").

Remarque :

On notera les expressions comme **have a look** = **look ; have a swim** = **swim ; have dreams** = **dream ;** etc. : Let's go and have a swim!
Do you have dreams?

4. Have causatif **(have something done) :**
   I must have my hair cut. *(= Il faut que je me fasse couper les cheveux.)*
   He had his car repaired. *(= Il a fait réparer sa voiture.)*

D. *Les autres emplois de do*

1. Comme verbe ordinaire (avec le sens de faire) :
   What do (aux.) they do (verbe) ?
   I did nothing yesterday.
   Mary is doing some painting.

2. Comme auxiliaire de l'impératif négatif :
   Don't forget your passport!

12. L'IMPÉRATIF et LET

L'impératif n'existe véritablement qu'à la deuxième personne (singulier et pluriel). Pour les autres personnes, on utilise let *comme auxiliaire pour faire des suggestions, inciter, inviter, ou donner des ordres indirects (à soi-même, par exemple).*

A. L'impératif

1. Forme

Forme affirmative : base verbale (ou infinitif sans "to").

Forme négative : do not (don't) + base verbale.

Forme emphatique *(voir n° 47) :* do + base verbale.

Listen to him !	Don't listen to him ! Don't be late !	Do listen to him ! (forme emphatique)

2. Emplois

• Pour donner des ordres :
> Open the door.
• Pour avertir (d'un danger, par exemple) :
> Watch him ! He's dangerous.
• Pour dire à quelqu'un comment faire quelque chose (modes d'emploi, directions à prendre, etc.) :
> Put the cake on a dish and cut it.
> Go along this road and then turn left.
• Pour offrir quelque chose ou inviter quelqu'un familièrement :
> Come and have dinner with us.

B. Let

1. Forme

Ce que l'on appelle parfois l'impératif avec **let** se construit selon la formule :
let + pronom personnel complément + base verbale.

Let them play !	Don't let them play in the classroom !	Do let them play ! (forme emphatique)

2. Emploi

On emploie surtout **let's** (= **let us**) pour faire des suggestions :
> Let's have a cup of tea.

Aux autres personnes, l'emploi de let correspond plutôt à un souhait, un ordre atténué, une incitation :

> Let them go.

13. LES AUXILIAIRES MODAUX

Les auxiliaires modaux (encore parfois appelés verbes "défectifs" parce que certains temps leur font défaut) sont : can, could, may, might, must, shall, should, will, would, ought to, need *et* dare *(les deux derniers s'emploient aussi comme verbes ordinaires). Ils ajoutent à la phrase une "modalité" : la capacité, l'obligation, la probabilité, etc.*

A. Forme

1. Les auxiliaires modaux ont toujours la même forme. Ils n'ont pas d'infinitif avec "to". Ils ne prennent pas de -s à la troisième personne du singulier au présent, n'ont pas de forme en -ing, ni en -ed. Exception : **need** et **dare** *(voir n° 20) :*

> He can come. She must go. It may rain.

2. Le verbe qui suit un auxiliaire modal est toujours à l'infinitif sans "to" (base verbale) :

> Well, I must go now.

3. A la forme négative, ils sont suivis de n't ou de not :

> They wouldn't (= would not) listen to me.

Remarque :

Can + not = cannot (contraction : **can't**). La contraction de **will not** est **won't**. Celle de **shall not** est **shan't**.

> John cannot (= can't) read.
> You will be there, won't you?

4. Le passé de **can** est **could** :

> I could run faster when I was younger.

5. Dans le discours indirect au passé (quand on rapporte ce qui a été dit), **can** devient **could, may** devient **might, shall** devient **should** et **will** devient **would** :

> She said she could play the piano.
> He told us it might rain.
> Mary told me that we should arrive soon.

6. Pour exprimer la capacité, la permission ou la nécessité au passé ou au futur, on se sert d'expressions équivalentes des modaux. Ainsi,

be able to équivaut à **can, be allowed to** à **may** (permission) et **have (got) to** à **must** (obligation) :

> Will you be able to repair my car ?
> Yesterday, the children were allowed to sit up late.
> They'll have to finish this work.

B. Emploi

1. On se sert des auxiliaires modaux pour dire que quelqu'un est capable de faire quelque chose *(a),* ou qu'une action est nécessaire *(b),* qu'une situation quelconque est possible ou probable *(c).*
Voir n⁰ˢ 14, 15, 16, 17, 18.

> *a.* Harold can sing. (= *Harold sait chanter/est capable de chanter.*)
> *b.* I must go. (= *Je dois m'en aller/il faut que je m'en aille.*)
> *c.* It may snow. (= *Il se peut/il est possible qu'il neige.*)

2. On peut se servir des auxiliaires modaux dans les réponses courtes et les "question tags" *(voir n° 24),* ainsi que dans la forme emphatique *(voir n° 47).*

14. LA CAPACITE : CAN, COULD, BE ABLE TO

A. Forme

Présent

Can Am/is/are able to	Cannot (can't) Am not/isn't/aren't able to

Passé

Could Was/were able to	Could not (couldn't) Wasn't/weren't able to

Futur

Will be able to	Will not (won't) be able to

1. Capacité, aptitude ou occasion de faire quelque chose :

> He can play football.
> I'll go to London tomorrow and I'll be able to do some shopping.

2. Pour évoquer la capacité ou l'occasion que l'on a eue de faire quelque chose dans le passé, on utilise **was/were able to** quand l'action s'est réellement déroulée :

> I was able to meet him. *(= J'ai pu (réellement) le rencontrer.)*

On n'emploie pas **could** pour une action qui s'est réellement déroulée dans le passé.

3. On peut employer **could** pour parler de la capacité dans une situation imaginée. Dans ce cas, **could** = **would be able to** :

> You couldn't buy this house; it's too expensive.
> *(= Vous ne pourriez pas...)*

Voir aussi could avec le sens d'éventualité, n° 18.

4. On peut utiliser **could** ou **was/were able to** aux formes interrogative et négative :

> Could you understand what he said? No, I couldn't
> He talked too fast.
> Were you able to do some shopping? No, I wasn't. I
> had not enough time.

Remarque :

Attention aux questions commençant par **could you...** ? qui sont souvent des requêtes :
> Could you help me find my things, please?

5. On emploie très souvent **can** et **could** avec les verbes de perception (**see, hear,** etc.) :

> We can see the church tower from here.
> I could hear a train in the distance.

15. PERMISSION : CAN, MAY, BE ALLOWED TO

A. Forme

Présent

Can May Am/is/are allowed to	Cannot (can't) May not Am not/isn't/aren't allowed to

Passé

Was/were allowed to	Wasn't/weren't allowed to

Futur

Will be allowed to	Will not (won't) be allowed to

B. Emploi

Pour évoquer la permission, on utilise **can, may** ou **be allowed to**.
Attention : **may** est plutôt formel.

> You can / may park your car here (*ou* you are allowed to park...).
> Will her parents allow Mary to come to our party ?
> We weren't allowed to take photos in the cathedral.

Remarque :

Pour demander une permission, **can** est le plus fréquent, **may** est plus formel (demande très polie) :

> Please, John, can I use your pen ? Of course, you can.
> May I borrow you book, Mr Evans ? Certainly, you may.

16. NECESSITE : MUST, HAVE (GOT) TO, NEEDN'T et MUSTN'T

Must *et* have (got) to *impliquent la nécessité de faire quelque chose, c'est-à-dire une action qui ne peut être évitée.* Needn't *indique qu'il n'y a pas de nécessité.* Mustn't *signifie qu'il est interdit de faire quelque chose, ou qu'il est nécessaire de ne pas la faire.*

Présent

Must	Need not (needn't)
Have/has to	Must not (mustn't)
Have/has got to	Don't/doesn't have to
	Haven't/hasn't got to

Passé

Had to	Didn't have to

Futur

Will have to	Won't have to

B. Emploi

1. Must indique la nécessité de faire quelque chose, mais exprime l'autorité ou les sentiments de celui qui parle :

> I'm in a hurry. I must go now. *(= Il faut que je parte maintenant/je dois partir maintenant.)*
> You must do as you're told. *(= Vous devez faire/il faut que vous fassiez ce que l'on vous dit.)*
> You must not do that. *(= Vous ne devez pas/il ne faut pas que vous fassiez cela.)*

2. Have (got) to implique l'autorité de quelqu'un d'autre, ou que quelque chose échappe au contrôle de celui qui parle :

> John has to / has got to go to the dentist's. (Cela ne dépend pas de sa propre volonté.)
> It was getting dark, and we had to leave early.
> These shoes will have to be repaired.

3. Lorsqu'il y a absence de nécessité, on peut utiliser la forme négative de **have (got) to** ou **needn't** :

> Have we got to arrive in the morning? (= Do we have to arrive in the morning?) — No, you haven't/don't.
> He's very rich. He hasn't got to work/He doesn't have to work.
> We needn't hurry. Nobody's waiting for us.

Remarque :

On peut utiliser **to need** (verbe ordinaire) pour dire qu'une action n'est pas nécessaire :
You don't need to wear a raincoat. It's sunny !

4. Must not (ou **mustn't**) indique l'absence d'autorisation, ou la nécessité de ne pas accomplir une action :

> Cars must not park in front of the entrance.
> I'm on a diet. I mustn't have sugar.

Remarque :

Il convient de bien faire la différence entre **mustn't** et **needn't** pour éviter les malentendus :

> We needn't go (= *il n'est pas nécessaire de partir* — mais nous pouvons le faire si nous le désirons).
> We mustn't go (= *il ne faut pas que nous partions/il est nécessaire que nous ne partions pas/nous ne sommes pas autorisés à partir*).

17. OBLIGATION, CONSEIL : OUGHT TO, SHOULD

Il y a peu de différence de sens entre ought to *et* should, *qui se traduisent le plus souvent en français par* devoir *au conditionnel présent.*

A. Forme

Ought to Should	Ought not to (oughtn't to) Should not (shouldn't)

B. Emploi

1. Ought to implique une obligation plus ou moins forte, ou un devoir moral, ou encore un conseil un peu "appuyé" :

> You ought to start at once. *(= Vous devriez commencer immédiatement).*
> He oughtn't to drink beer.

2. Should indique aussi une obligation plus ou moins forte, mais sert le plus souvent à donner un conseil :

> You look ill. You should see a doctor.
> You should be more careful!

Should a d'autres emplois (voir n° 19).

23

18. EVENTUALITE : MAY, MIGHT et COULD

A. Forme

May Might Could	May not Might not (mightn't) Could not (couldn't)

B. Emploi

1. May, might ou **could** indiquent l'éventualité d'une action avec des degrés de probabilité de plus en plus faibles :

This medicine may cure your cough. *(Il se peut que ce médicament soigne votre toux.* C'est possible, mais pas tout à fait sûr.*)*	This medicine might cure your cough. *(Il se pourrait que ce médicament vous guérisse de votre toux.* C'est possible, mais pas sûr.*)*	This medicine could cure your cough. *(Ce médicament pourrait peut-être vous guérir de votre toux.* C'est possible, mais pas sûr du tout.*)*

2. May, might ou **could** peuvent servir pour évoquer l'éventualité d'une action dans le futur. Dans ce cas, **could** implique souvent une suggestion :

> Peter may arrive tomorrow. *(= Il se peut que Peter vienne demain.)*
> Your parents might not come next week. *(= Il se pourrait que vos parents ne viennent pas la semaine prochaine.)*
> We could go to London next month, couldn't we? *(= Nous pourrions aller à Londres le mois prochain, n'est-ce-pas ? — Suggestion.)*

3. On utilise **could** également pour une demande polie :
> Could you help me, please ?

Remarque :

La certitude s'exprime avec **will, must,** ou **can't** qui impliquent que quelque chose est logiquement certain :

> That will be Thomas knocking at the door now.
> It's ten o'clock. He must be home now.
> That can't be true !

19. WOULD et SHOULD

Would *et* should *peuvent parfois être considérés comme les passés de* will *et* shall. *Ils ont cependant leurs sens propres.*

A. Would

1. Would sert à décrire des situations imaginaires :
>Driving a Rolls Royce would be nice!
>Well, I would/I'd certainly enjoy flying Concorde.

2. Would permet d'exprimer un souhait :
>I wish you would come to my birthday party.
>I would like to be a doctor.

3. On utilise **would** pour les requêtes ou les invitations :
>Would you sign here, please?

4. Would sert à indiquer que quelqu'un avait l'habitude de faire quelque chose, ou qu'une action se produisait de temps en temps (forme "fréquentative" au passé) ; voir aussi n° 9B :
>The old man would sit there for hours, looking at the sky.
>Occasionally, my car would break down without any apparent cause.

5. Would remplace **will** au discours indirect (ou rapporté) :
>John : "I will be late". John said he would be late.

6. Would rather (ou **'d rather**) marque la préférence :
>I'd rather have lamb than beef.

B. Should

1. Should indique une obligation ou sert à donner un conseil *(voir n° 17.)*

2. On peut renforcer le caractère hypothétique d'une subordonnée avec **if** en employant **should** :
>If I should arrive early, I'll give you a ring. *(= S'il m'arrivait d'être en avance, je vous passerais un coup de fil.)*

3. Should précède souvent le verbe d'une subordonnée de but :
>I lent him my car so that he should drive to town.

4. On utilise souvent **should** après **how, why** ou parfois même après un mot interrogatif :

> How should I know?
> Why should he think that?
> Where should we be?

5. On peut exprimer une probabilité moyenne avec **should** :

> I think they should be there by now. *(= Je pense qu'ils devraient être là maintenant.)*

20. NEED et DARE

On dit souvent que need *et* dare *sont des "semi-modaux" car ils ont le double statut de verbes ordinaires et d'auxiliaires modaux (voir aussi* needn't, *n° 16).*

A. Need

1. Comme auxiliaire modal, need n'est utilisé qu'aux formes négative et interrogative au présent :

> You needn't come early. (Absence d'obligation.)
> Need we wash our hands? (Obligation éventuelle.)
> Do you think they need arrive early? (Question indirecte.)

2. Comme verbe ordinaire, need peut être employé comme dans les cas ci-dessus. Notons cependant que son emploi est obligatoire à la forme affirmative (sauf dans les questions indirectes) :

> They need to buy a bigger house.

Dans ce cas, **need** est suivi d'un verbe à l'infinitif avec "to".

B. Dare

1. Le sens de dare est "oser", "ne pas avoir peur de faire quelque chose". Comme auxiliaire modal, **dare** suit les mêmes règles que **need** :

> Dare you jump down from the top of that wall? No, I daren't do it.
> I didn't dare (to) do it.

2. Le passé de dare (dared) peut aussi être utilisé comme auxiliaire modal :

> They dared not complain.

3. Quand **dare** est employé comme **verbe ordinaire,** il peut être suivi soit d'un infinitif avec "to", soit d'un infinitif sans "to" (base verbale) :

> Do you dare (to) jump from the top of that wall? No, I don't dare (to) do it.

21. AUTRES EMPLOIS DES MODAUX

On peut exprimer l'obligation, la nécessité, la possibilité, etc., à l'aide de structures contenant un auxiliaire modal, un auxiliaire et un participe (présent ou passé).

A. Auxiliaire modal + be + forme en -ing

1. Obligation Avec **should** ou **ought to** :

> What are you doing here? You ought to be helping your father. *(= Tu devrais être en train d'aider ton père.)*
> I know I should be helping him. *(= Je sais que je devrais être en train de l'aider.)*

2. Certitude, très forte probabilité. Avec **must** :

> John must be doing his homework by now. *(= John doit être en train de faire ses devoirs, à cette heure-ci. — C'est très probable, et même certain.)*

3. Possibilité, probabilité. Avec **may** ou **might** :

> The Dixons may/might be coming to your birthday party next Saturday.

4. Situations imaginaires. Avec **would** (ou **'d**) :

> If you hadn't come, I'd be having dinner alone.

B. Auxiliaire modal + have + participe passé

1. Obligation. Avec **should** ou **ought to** :

> You should have done that earlier. *(= Tu aurais dû faire cela plus tôt.)*
> I told him that he should have arrived at nine. *(= Je lui ai dit qu'il aurait dû arriver à neuf heures.)*

2. Nécessité. Avec **need/needn't,** par exemple :

> We needn't have run so fast. *(= Nous n'avions pas besoin de courir si vite.)*

3. Possibilité, probabilité. Avec **may/might** ou **could** :

> They may have come while we were out. *(= Il se peut qu'ils soient venus pendant que nous étions sortis.)*
> This medicine might have cured your cough. *(= Ce médicament aurait pu guérir votre toux —* sous-entendu : si vous l'aviez pris.*)*
> The train arrived at ten. We couldn't have come before. *(= Le train est arrivé à dix heures. Nous n'aurions pas pu venir plus tôt.)*

4. Situations imaginaires. Avec **would** :

> They would have enjoyed the game (c'est-à-dire : s'ils étaient venus).

22. DECLARATIONS NEGATIVES

*Les déclarations négatives sont souvent le résultat de transformations du groupe verbal à l'aide d'un adverbe (*not, *par exemple) ou de l'emploi d'un pronom (comme* nobody, nothing, no one, *etc.).*

A. Emploi de not/n't

1. Avec les auxiliaires be et have :

> I'm not working now. You aren't listening to me.
> They weren't home. Mary is not coming.
> We haven't seen that film. He had not recognized me.

2. Avec les auxiliaires modaux :

> Little Tom cannot/can't read.
> They will not/won't be here before nine o'clock.
> You should not/shouldn't do that.

3. Avec l'auxiliaire opérateur do :

Au présent simple :

> He does not/doesn't speak clearly.
> We do not/don't understand him.

Au passé (ou prétérit) simple :

> I did not/didn't go to school yesterday.

B. Autres négations

1. Emploi de no et de none :

> She had no umbrella (= she had not one umbrella = she did not have an umbrella).

I have no money (= I have not any money).
We wanted some milk but there was none in the house
(none = not any).

2. Emploi de never (= not ever, *jamais*) :

We have never been to America. (= We haven't ever
been to America).

3. Emploi de neither et de nor *(ni... ni)* :

It's neither pleasant to drink nor good for you. *(= Ce
n'est ni agréable à boire, ni bon pour toi.)*
Peter doesn't like beer, and neither do I *(= et moi non
plus.)*

**4. Emploi des composés de no : nobody, nothing, nowhere *(personne,
rien, nulle part)* et de no one *(personne)* :**

We saw nobody we knew. (= We didn't see anybody
we knew.)
There's nothing interesting in the newspaper. (= There
isn't anything interesting in the newspaper).
There was no one in the house. (= They was nobody in
the house.)

Voir n° 39.

23. QUESTIONS

*On peut distinguer quatre sortes de questions : celles dont la réponse est
oui ou non ("yes/no questions"), celles qui commencent par un interrogatif ("wh-questions"), celles qui expriment une alternative ("alternative questions") et les questions négatives ("negative questions").*

A. "Yes/no questions"

Ce sont les questions auxquelles on peut répondre par oui ou par non.
Elles commencent par un auxiliaire ou un modal qui vient avant le sujet
(on dit parfois qu'il s'agit d'une inversion du sujet).

1. Avec be ou have :

Is John in the garden?
Have you read today's paper?
Yes, I have (ou : No, I must).

2. Avec un auxiliaire modal :

Would you like a cup of tea? Yes, I would (ou : No, I
wouldn't).
Can he do it? Yes, he can (ou : No, he can't).

3. Avec l'auxiliaire opérateur do :

Au présent simple :

> Do you like tea? Does your father often come here?

Au passé (ou prétérit) simple :

> Did you enjoy yourself?

B. "Wh-questions"

Elles commencent par un mot interrogatif suivi d'un auxiliaire ou d'un modal et du sujet. Le mot interrogatif peut être **who, what, which, where, when, why** ou **how**.

1. Avec be ou have :

> What are you doing? I am studying.
> Where did they find it ? In the cupboard.

2. Avec un auxiliaire modal :

> How can I get to Chichester? Who should tell him?

3. Avec l'auxiliaire opérateur do :

Au présent simple :

> Why does she run so fast? What do you want?

Au passé (ou prétérit) simple :

> Where did they go? How did John know?

Remarques :

Avec **which**, l'ordre des mots est **which** + complément + auxiliaire + sujet + verbe :

> Which hat would you like to wear ?

Who et **what** peuvent être sujets. Dans ce cas, l'ordre des mots est le même que pour une déclaration affirmative :

> Who lost an umbrella? What makes such a noise?

C. "Alternative questions"

Elles commencent par un auxiliaire ou un modal et contiennent **or** placé devant le deuxième membre de l'alternative :

> Is Tom coming on Wednesday or Thursday?
> Will they buy a house or a flat?
> Did they take the train or did they drive?

D. "Negative questions"

Dans les questions négatives (on parle parfois de « forme interro-négative ») l'ordre des mots est : auxiliaire + négation + sujet + verbe.

Une question négative peut commencer par un mot interrogatif qui se place avant l'auxiliaire. Les emplois des questions négatives sont les suivants :

1. Pour s'informer :
>Why didn't he come with us?

2. Pour faire une suggestion, ou essayer de persuader quelqu'un de faire quelque chose :
>Why don't we ask Peter to help us?

3. Pour demander si quelqu'un est d'accord avec ce que l'on déclare :
>Haven't we met before?
>Didn't Wordsworth live in the Lake District?

4. Pour exprimer la surprise :
>Haven't you finished your homework yet? (= I am surprised that you haven't finished your homework.)

Attention :
On utilise **no** pour exprimer son accord avec une question négative, et **yes** pour exprimer son désaccord (**yes** = si) :
>Haven't you seen Tom? No, I haven't seen him.
>Don't you like pork? Yes, I like it very much.

24. RÉPONSES et "QUESTION TAGS"

Les "question tags" correspondent le plus souvent au français "n'est-ce pas ?".

A. Réponses

1. Réponses aux "yes/no questions"
- Par un seul mot :
>Do you know Bill Jones? Yes/No.
- Par une réponse brève avec un auxiliaire ou un modal :
>Do you know Bill Jones? Yes, I do/No, I don't.
>Can you swim? Yes, I can/No, I can't.
- Par une phrase complète :
>Do you know Bill Jones? Yes, I know him very well.
>No, I don't know him at all.

2. Réponses aux "wh-questions"

- Par un seul mot :
    Who will come tomorrow? Me/Peter.
- Par une réponse brève avec un auxiliaire ou un modal :
    Who knows Bill Jones? I do/Peter does.
    Who will come tomorrow? I will/Peter will.
- Par une phrase complète :
    Who knows Bill Jones? Peter knows him very well.
    Where did you go yesterday? We went to London.

B. Questions tags

1. Forme

Les "question tags" se forment avec les auxiliaires **be, have, do** ou avec un modal.

"Positive tag" :	"Negative tag" :
You aren't working, *are you?*	You had met him before, *hadn't you?*
He hasn't arrived, *has he?*	It's a lovely day, *isn't it?*
They don't understand, *do they?*	They will come, *won't they?*
He can't swim, *can he?*	She likes tea, *doesn't she?*

Les "negative tags" sont toujours prononcés avec la contraction.

Remarques :

1. Après le verbe, il y a un pronom qui se rapporte au sujet de la phrase.
2. Avec **be**, le "negative tag" à la première personne du singulier est **aren't I?** :
    I'm late, aren't I?
3. Quand on fait une suggestion commençant par **let's**, on utilise un "tag" avec **shall** :
    Let's go now, shall we?
4. Après un impératif, on emploie un "tag" avec **will, would, can** ou **could** :
    Come here, will you?
    Give me that book, would you?
    Bring me a chair, can you?/could you?

2. Emploi

- On utilise un "positive tag" à la fin d'une phrase négative pour demander si quelqu'un est d'accord avec la déclaration que l'on fait :
    It isn't very good, is it? No, it isn't.
- De la même manière, on se sert d'un "negative tag" à la fin d'une phrase affirmative pour demander si quelqu'un est d'accord avec la déclaration que l'on fait :
    You didn't call me, did you? Yes, I did. I phoned you this morning.
- Quand on veut simplement s'assurer que ce que l'on déclare est correct, on emploie un "positive tag" à la fin d'une phrase affirmative :
    You will see John this afternoon, will you? *(= Vous verrez John cet après-midi, n'est-ce pas?)*

Remarque :

L'intonation est importante, car elle change le sens d'un "tag". Ainsi, une intonation descendante signifie que l'on pense que ce que l'on dit est vrai, et que l'on demande à l'interlocuteur d'approuver (mais il peut ne pas être d'accord) :

It's a lovely day, isn't it ? (*n'est-ce-pas ?* = n'êtes-vous pas d'accord avec moi ?)

Quand on n'est pas sûr que ce que l'on dit est vrai, on utilise une intonation ascendante :

Banks are open today, aren't they ? *(n'est-ce-pas ? = est-ce vrai ?)*

On emploie aussi une intonation ascendante lorsque l'on fait une suggestion, que l'on propose quelque chose, ou que l'on fait une requête polie :

Let's go to the cinema, shall we ?

Open the window, will you ?

25. LOCUTIONS ELLIPTIQUES

Les locutions elliptiques comme moi si, moi non, moi aussi *ou* moi non plus *sont rendues en anglais par un rappel de l'auxiliaire. D'autre part, pour éviter des répétitions, on omet certains mots ou on les remplace par d'autres. Les omissions sont nombreuses dans la langue parlée familière.*

A. Conformité et contradiction

1. Conformité positive (ou affirmative)
● Avec un auxiliaire (ou un modal) et **too** :

He likes tea. I do, too. Peter does, too. *(= Il aime le thé. Moi aussi. Peter aussi.)*
I can swim and you can, too.

● **So** + auxiliaire (ou modal) + sujet :

John reads a lot of books. So do I. *(= Moi aussi.)*
Bill is late, and so are you. *(= Vous aussi.)*
They'll go to London. So will I.

2. Conformité négative
● Auxiliaire (ou modal) + **not** (ou **n't**) + **either** :

Bill won't come. I won't either. *(= Moi non plus.)*
They haven't seen it before and we haven't either.

● **Neither** (ou **nor**) + auxiliaire (ou modal) + sujet :

Bill won't come. Neither will I /Nor will I *(= Moi non plus.)*
John doesn't like beer and neither do I.

33

3. Contradiction ou contraste
• Contradiction positive :

> My little brother can't read, but I can. *(= Mais moi je sais/mais moi, si.)*
> They aren't working, but we are.

• Contradiction négative :

> The Johnsons will come. We won't. *(= Les Johnson viendront. Pas nous.)*
> I wrote to them, but you didn't. *(= Je leur ai écrit, mais pas toi.)*

Remarque :

Pour montrer de l'intérêt pour ce que l'interlocuteur dit, on peut réagir par une question courte :

> I went to the cinema last night. — Oh, did you? *(= Oh, vraiment?)*

B. So et not après certains verbes

1. On peut employer so après certains verbes pour remplacer une proposition entière :

> Is Mr Smith in? — Well, I suppose so. (= I suppose he is in.)
> Will they answer my letter? — I don't think so. (= I don't think they will answer it.)
> Is Jane ill? I'm afraid so.

Ces verbes sont le plus souvent : **think, suppose, imagine, expect, hope, believe, be afraid.**

2. On peut employer not pour donner une réponse négative (après **be afraid, hope, suppose** ou **believe,** par exemple) :

> Will you be able to carry this box alone ? — I'm afraid not. *(= J'ai bien peur que non.)*

C. Omissions

On peut omettre certains mots pour éviter de les répéter, surtout s'ils ne sont pas nécessaires à la bonne compréhension de la phrase :

> I'm going to Spain and John to Australia. (= ... and John is going to Australia.)
> I enjoyed the book but not the film. (= ... but I didn't enjoy the film.)
> Someone said something, but I don't know who. (= ... I don't know who said something.)

Remarque :

Dans la langue parlée familière, on omet souvent un pronom ou un pronom et un auxiliaire si le sens est assez clair sans eux :

> Lovely day, isn't it? (= It is a lovely day...)
> Looks like it. (= It looks like it.)

26. LA VOIX PASSIVE

Les phrases à la voix passive résultent d'une transformation : le sujet de la phrase n'est plus l'agent de l'action, mais celui qui la subit, qui en reçoit les effets. Dans de nombreuses phrases passives, on n'indique même pas l'agent de l'action, lorsqu'on ne le connaît pas ou qu'il n'est pas important de le mentionner.

A. Forme (la transformation passive)

Be (conjugué) + participe passé.
L'objet du verbe actif devient le sujet du verbe passif qui s'accorde avec ce nouveau sujet. Dans de très nombreux cas, l'agent de l'action n'est pas mentionné.

1. Temps simples
- Présent simple :
> A postman collects the letters every evening. The letters are collected every evening.
> Do you do your room every day? Is your room done every day?
- Prétérit simple :
> They saw a fire in the distance. A fire was seen in the distance.
> Did the boy burn his arm? Was his arm burnt?

2. Temps composés
- ''Present perfect'' :
> They have discovered a new star. A new star has been discovered.
- ''Past perfect'' (ou ''pluperfect'') :
> Someone had stolen my car. My car had been stolen.

3. Forme progressive (ou continue)
- Présent :
> They are building a house. A house is being built.
- Prétérit :
> Mr Jones was decorating the rooms. The rooms were being decorated.

4. Auxiliaires modaux
> John will bring a chair. A chair will be brought.
> Anyone can do it. It can be done.
> You should make a decision. A decision should be made.

5. Objets directs et indirects (ou « double passif »)

Quand le verbe actif a deux objets, chacun d'entre eux peut devenir le sujet du verbe passif. Cela aboutit à deux constructions possibles (ce que certains appellent « double passif ») :

> They gave Peter a bicycle for his birthday.
> Peter was given a bicycle/ A bicycle was given to Peter for his birthday.

B. Emploi

D'une manière générale, on utilise le passif pour mettre en valeur l'objet du verbe actif (parce que c'est plutôt de l'objet que l'on veut parler) :

> The maid will make your bed every morning. Your bed will be made every morning... (Il s'agit de votre lit, et non de la femme de chambre.)

1. Voix passive sans agent

- L'agent de l'action est inconnu :

> My car has been stolen. (= Ma voiture a été volée — je ne sais pas par qui.)

- Il n'est pas important de connaître l'agent :

> The thief was caught. (= Le voleur a été pris — il n'est pas important, dans ce cas, de savoir qui a pris le voleur.)

Remarque :

La voix passive sans agent correspond souvent à une tournure française avec "on" :

> My car has been stolen. (= Ma voiture a été volée/On a volé ma voiture.)

2. By + agent

Lorsque l'agent doit être mentionné, on l'introduit à l'aide de **by** :

> This book was written by Dickens.
> The house is being built by a local company.

3. La voix passive avec get

Dans certains cas, on forme la voix passive avec **get** au lieu de **be**.

- Dans la langue familière, surtout pour parler de ce qui arrive (ou est arrivé) par accident :

> They had an accident and Bill got injured.
> He fell and his arm got broken.

- Dans certaines expressions comme **get dressed, get lost, get married,** etc. :

> There was a thick fog and we got lost.
> Bill and Kate got married in June.

4. Have/get something done

- **Have/get** + objet + participe passé correspond à la tournure française faire + infinitif au sens passif (c'est-à-dire « faire faire quelque chose par quelqu'un ») :

> I had my hair cut. (= *Je me suis fait couper les cheveux par quelqu'un, bien sûr.*)

• **Get** au lieu de **have** est employé dans une langue un peu plus familière :

> He got his hair cut.

5. Tournures impersonnelles : it + verbe passif + proposition.
• Devant une proposition introduite par **that** :

> It is said that he is going to resign. (= *On dit qu'il va démissionner.*)

On trouve ce genre de tournure avec des verbes comme **say, think, feel, know, believe, expect, agree,** etc.
• Devant un infinitif « complet » (c'est-à-dire avec "to") :

> It has been decided to lock the door every night.

Dans ce cas, on se sert de verbes comme **decide, arrange,** ou **agree.**

---

27. LES SUBORDONNEES INTRODUITES PAR "IF"

Les subordonnées introduites par if ("if clauses") sont très nombreuses. Elles permettent d'exprimer une condition, une hypothèse ou une supposition. C'est surtout l'emploi des temps (dans la subordonnée et la principale) qui en détermine le sens.

A. Les principaux types de subordonnées introduites par if

1. If + "simple present" + will/can/may/might
On utilise cette structure pour évoquer des actions, des situations probables dans le futur :

> If you ask her, she will help you. (= *Si vous lui demandez* — ce qui est très probable — *elle vous aidera.*)
> If it is necessary, we can come early. (= *Si c'est nécessaire* — et cela est très probable — *nous pouvons venir de bonne heure.*)

2. If + "simple past" + would/could/might
• Actions ou situations moins probables — quoique possibles — dans le futur :

> If they arrived in the morning, I could see them. (= *S'ils arrivaient dans la matinée,* ce qui est possible, mais peu probable, *je pourrais les voir.*)

- Situations irréelles dans le présent :

> If I were you, I would go. *(= Si j'étais à votre place, je partirais.)*
> If you were a bird, you could fly. *(= Si tu étais un oiseau, tu pourrais voler.)*

Attention :

Pour exprimer des situations irréelles, on utilise le « prétérit modal », c'est-à-dire **were** à toutes les personnes pour l'auxiliaire **be**.

3. If + "past perfect" + would have/could have/might have

Cette structure permet d'évoquer une action, une situation qui ne s'est pas produite dans le passé :

> If you had left earlier, you would have caught your train. *(= Si vous étiez parti plus tôt vous auriez eu votre train.)*
> If they'd asked me, I could have helped them. *(= S'ils me l'avaient demandé, j'aurais pu les aider.)*

B. Les autres types de subordonnées introduites par *if*

1. If + présent (simple ou progressif) + impératif

Cette structure sert à donner des ordres :

> If you're ready, tell me. *(= Si tu es prêt, dis-le-moi.)*
> If you're laughing at me, stop at once. *(= Si vous vous moquez de moi, arrêtez immédiatement.)*

2. If + "simple present" + "simple present"

On emploie très souvent cette structure pour exprimer une vérité générale, quelque chose qui se produit toujours :

> If you eat too much, you get fat. *(= Si vous mangez trop, vous grossissez.)*

3. If + "present continuous"/"present perfect" + modal

Les emplois de ce type de subordonnée introduite par **if** sont nombreux. On l'utilise notamment pour faire des offres, donner des conseils, etc. :

> If you're going to town, I can give you a lift. *(= Si vous allez en ville, je peux vous emmener en voiture.)*
> If you have never been to Scotland, you ought to go there. *(= Si vous n'êtes jamais allé en Ecosse, vous devriez y aller.)*

4. If + modal + modal

On utilise cette structure pour faire des suggestions, donner une permission, par exemple. Mais les emplois sont aussi très nombreux :

> You may borrow our lawn-mower if you can use it.
> *(= Vous pouvez emprunter notre tondeuse à gazon si vous savez vous en servir.)*

If you can't find your umbrella, Peter might lend you one. *(= Si vous ne trouvez pas votre parapluie, Peter pourrait vous en prêter un.)*

5. If + will/would + modal
Cette structure permet de faire des requêtes, des demandes polies :

If you'll give me your phone number, I can give you a ring. *(= Si vous voulez bien me donner votre numéro de téléphone, je peux vous appeler.)*

6. If + should + modal/impératif
On se sert de cette structure pour décrire des actions ou des situations très peu probables dans le futur :

If anyone should come, please let me know. *(= Si quelqu'un venait — ce qui est peu probable — faites-le-moi savoir s'il vous plaît...)*

If it should be necessary, I would come at five. *(= Si c'était nécessaire — mais c'est peu probable — je viendrais à cinq heures.)*

28. LE DISCOURS INDIRECT

On utilise le discours indirect lorsqu'on rapporte ce qui a été dit ou écrit. Il convient d'être très attentif à l'emploi des temps.

A. Les verbes utilisés

Le verbe se place en général avant la proposition rapportée. Dans ce cas, on emploie **that,** que l'on peut omettre.
That est souvent omis dans la langue un peu familière :

John says (that) he will come.

Le verbe peut se placer après la proposition rapportée. Dans ce cas, on ne peut pas utiliser **that :**

There's someone at the door, Mary says.

1. Déclarations positives ou négatives
• **Say** et **tell. Say** n'a pas d'objet indirect lorsqu'il est utilisé au discours indirect, alors que **tell** doit avoir un objet direct :

Mr Jones says (that) there's a letter for you.

He told me (that) it was a registered letter.

• On peut aussi employer d'autres verbes : **answer, write, think, know, explain, agree,** etc. :

They answered that they would come.

He thinks (that) it's going to rain.

2. Questions

Pour rapporter des questions, on peut utiliser **ask, wonder, want to know, enquire,** etc. :

> They asked (me) what my name was.
> She enquired what I wanted.

1. Le discours indirect au présent

Si le verbe qui sert à rapporter le discours est au présent, le temps du verbe de la phrase au discours direct ne change pas :

Discours direct	Discours indirect
John : "I like it very much here." Mr Jones : "I'll be back tomorrow at ten."	John says he likes it very much here. Mr Jones says (that) he will be back tomorrow at ten.

Attention :

Quelquefois, il faut changer certains adjectifs ou adverbes et surtout les pronoms. Ainsi, **I** devient **he/she, we** devient **they,** par exemple. Il faut aussi parfois changer les adjectifs possessifs : **my** devient **his/her, our** devient **their** :

Bill : "I am in London with my friend and we like it there."	Bill says (that) he is in London with his friend and (that) they like it there.

2. Le discours indirect au passé

Si le verbe qui sert à rapporter le discours est au passé, le verbe de la phrase au discours direct change du présent au passé :

Simon : "I usually walk to school." "We'll be back at ten." Mike : "I'm sorry. I must go."	Simon said he usually walked to school. They told me they would be back at ten. Mike said he was sorry. He had to go.

Attention :

Si le verbe au discours direct est au passé, il peut rester au même temps, ou être mis au "past perfect". **Could, would, should, might** et **ought to** ne changent pas.

Peter : "I met your father once."	Peter told me (that) he had met my father once. Peter told me (that) he met my father once.
Mary : "I would be very happy if Barrie could come."	Mary said that she would be very happy if Barrie could come.

Si ce que l'on rapporte est toujours vrai au moment où l'on parle, il est possible de ne pas changer le temps du discours direct :

| Kevin : "I like tea." | Kevin said that he likes tea. |

C. Les questions rapportées

1. "Yes/no questions"
Pour rapporter ce type de questions, on emploie **if** ou **whether** :

| Stan : "Hello, Mary. Can I borrow John's saw?" | Mary : "John! Stan asks if he can borrow your saw!" (I saw Mike this morning) he wanted to know whether you would go to London tomorrow. |

2. "Wh-questions"
On utilise les mêmes interrogatifs que dans la question au discours direct :

| Sarah : "When will Peter be back?" "How do you spell your name?" | Sarah asked me when Peter would be back. He asked me how I spelt my name. |

Attention :
L'ordre des mots dans une question rapportée est le même que dans une déclaration au discours direct (et non le même que dans la question directe).

29. LE TEMPS DANS LES SUBORDONNEES

A. La concordance des temps

1. Règle générale
• Si le verbe de la principale est au présent, celui de la subordonnée est aussi au présent :

> Can you read what it says?
> I think (that) Mary is here.

• Si le verbe de la principale est au passé, celui de la subordonnée est aussi au passé :

> I couldn't read what it said.
> I thought she was here.

2. Les subordonnées introduites par **that**

Selon l'idée exprimée par rapport à la principale, le temps du verbe de la subordonnée introduite par **that** peut être différent :

> I know that Mary usually comes back at ten. *(= Je sais que Mary a l'habitude de rentrer à 10 h.)*
> I know that Mary came back at ten. *(= Je sais que Mary est rentrée à 10 h.)*
> I know that Mary will come back at ten. *(= Je sais que Mary va rentrer à 10 h.)*

3. Les subordonnées relatives dans une phrase de mise en relief commençant par **it**.

Les verbes de la principale et de la subordonnée sont au même temps :

> It's John who cleans the room today. *(= C'est John qui nettoie...)*
> It was John who cleaned the room yesterday. *(= C'est John qui a nettoyé...)*

B. Les subordonnées de temps

1. Verbe de la principale à un temps du passé

Les temps employés dépendent de la chronologie des actions.

• Les actions se sont produites au même moment :

> He left as soon as (= when) we arrived ("simple past" + "simple past").

• L'une s'est produite avant l'autre :

> He had already left when we arrived ("pluperfect" + "simple past"). *(= Il était déjà parti lorsque nous sommes arrivés.)*

2. Verbe de la principale avec un sens futur

• Le verbe de la subordonnée de temps est au "simple present" :

> We'll leave as soon as you are ready.
> I'll let you know when he arrives.

• Le verbe de la subordonnée peut aussi être au "present perfect" :

> We'll leave as soon as you have finished your work.
> I'll let you know when he has arrived.

3. Verbe de la principale au futur antérieur

La subordonnée est au "simple past" ou au "pluperfect" :

> John said we would leave as soon as you were ready.
> He said he would come when he had finished his work.

C. Présent et passé irréels

1. Présent irréel

On utilise le passé pour parler d'un présent irréel :

> Let's imagine (that) the news was true.

He talks as if he knew all about it (but he doesn't know all about it).

It's time we left (but we have not left yet).

2. Passé irréel

Pour parler du passé irréel, on emploie le "pluperfect" (ou "past perfect") :

If you had asked me, I would have told you (but you didn't ask me).

Attention :

Cet emploi des temps se fait après certains verbes et expressions comme **imagine, suppose, wish, if, as if, as though, if only, would rather,** etc.

30. L'INFINITIF

L'infinitif est la forme de base du verbe (base verbale) : run, watch, have, say, *etc. Il est utilisé avec ou sans* to. *Avec* to, *on l'appelle parfois "infinitif complet". Sans* to, *on parle d'infinitif "incomplet" ou de "base verbale".*

A. L'infinitif complet (avec to)

1. Après les adjectifs

Après les adjectifs seuls, au comparatif ou au superlatif, ou modifiés par un adverbe, on emploie l'infinitif avec "to" :

I'm glad to meet you.

English is easier to learn than Latin.

It would be most interesting to study both !

2. Après les noms et les pronoms

I'm sorry I can't come. I have a job to do.

This is my new banjo. I bought it to play country music.

3. Après un certain nombre de verbes *(voir aussi n° 31)*

She wants to go to Italy.

He always managed to keep his temper.

Verbes les plus courants suivis de l'infinitif complet : **agree, arrange, attempt, choose, decide, expect, fail, hope, learn, manage, offer, plan, prepare, promise, refuse, seem, want, wish.**

4. Après certains verbes suivis d'un complément

> They wouldn't allow him to come
> He expects me to work on Saturdays.
> She invited her friend to have lunch with her.
> Do you want me to help you?

Autres verbes du même type : **advise, ask, force, persuade, remind, teach, tell, warn.**

5. Après le passif

> We weren't allowed to bring our dog.
> They were expected to arrive early.

6. For + groupe nominal + infinitif complet

> It was difficult for us to understand. *(= Il nous était difficile de comprendre.)*
> I left some milk for my friend to drink. *(= J'ai laissé du lait pour que mon amie le boive.)*

7. Après les interrogatifs ("question words")

> I know how to build a pyramid.
> He told me where to go.
> Could you tell me which train to take?

8. Omission du verbe après "to"

On peut omettre le verbe après to si le sens de la phrase est assez clair :

> Did you go shopping this morning? — Well, I wanted to, but I had no time to.

B. L'infinitif incomplet (sans to)

1. Après les auxiliaires modaux

> Tell him I can't come.
> Well, we must go, now.
> Shall I open the window?

2. Après certains verbes

● **Make** causatif :

> We made them laugh.

● **Help** :

> He helped me find my things.

● **See** et **hear** (à la voix active) :

> I saw him put the key in the lock, and I heard him cough.

● **Let** (verbe ordinaire) :

> Don't let the fire go out. They will not let me try.

● **Have** causatif :

> What would you have me do? (littéraire)
> I'm going to have him do it for you.

3. Après why

> Why leave now? We're not in a hurry.

---

1. L'infinitif progressif (ou continu) = to be + forme en -ing :

> Mike seems to be enjoying his stay.

2. L'infinitif passé ("perfect infinitive") = to have + participe passé :

> We're happy to have come here.

3. L'infinitif passif = to be + participe passé :

> Mary hopes to be given a job. (= *Mary espère qu'on lui donnera un emploi.*)

31. LA FORME EN -ING

La forme verbale en -ing peut être le participe présent d'un verbe. Elle s'emploie aussi souvent comme gérondif (ou « nom verbal »). Parfois, il est difficile de faire une distinction très claire entre le participe présent et le gérondif. C'est pourquoi nous préférons l'appellation « forme en -ing ».

1. Définition

On appelle « gérondif » ou « nom verbal » une forme en -ing remplissant la plupart des fonctions du nom, tout en conservant le sens fondamental du verbe :

> My brother likes reading. (= *Mon frère aime lire,* ou : *mon frère aime la lecture.*)

2. Emploi

Le gérondif peut remplir toutes les fonctions du groupe nominal.

• Sujet :

> Reading is my favourite pastime.

• Object direct :

> Bill likes fishing.

• Objet indirect :

> Mr Smith took to gardening.

- Avec tous les déterminants du nom :

> He told us about the bringing-up of his children (avec un article défini = tournure rare).
> Her coming back was unexpected (avec un adjectif possessif).
> Would you mind Mary's coming with us? (avec le génitif).
> I don't like driving a car (avec un complément).
> They enjoy travelling by train (avec une locution adverbiale).

- Après une conjonction ou une préposition (sauf "to").

Attention :

La proposition contenant la forme en -ing peut se trouver avant ou après la principale :

> He went out without taking his hat.
> She's been playing all afternoon instead of doing her homework.
> You have to finish your work before going to bed.
> After walking three miles, I felt tired.

- Après "to", lorsque "to" fait partie intégrante d'une expression idiomatique :

> We're looking forward to hearing from you.
> John was not used to working so hard.
> I object to being treated like a child.

- Après certains verbes ou expressions, comme : **avoid, burst out, can't help, deny, dislike, enjoy, finish, give up, go on, imagine, keep, keep on, leave off, mind, miss, practise, risk, stop, suggest, it's no fun, it's no good, it's no use, it's (not) worth,** etc. :

> Go to the cathedral, it's worth seeing.
> Suddenly, she burst out laughing.
> I enjoy playing the guitar.

- A la voix passive :

> He was afraid of being seen in his pyjamas.
> They thought that teaching was more pleasant than being taught.

32. LES PARTICIPES (PRESENT & PASSE)

A. Les participes employés comme adjectifs

1. Participe présent

> They all ran towards the burning house (the house was burning).
> She told us an amusing story (her story was amusing).

46

2. Participe passé

> The stolen car was found in a back street.
> Mr Gray is known as a good doctor.

Remarque :

Les participes sont souvent employés pour former des adjectifs composés *(voir n°48,C,2) :*

> Tom is rather good-looking.
> She's lucky to have got this well-paid job.

B. Le participe présent (forme en -ing) dans les subordonnées de temps

1. Après une conjonction ou une préposition
- Actions simultanées :
> She read the letter while sipping her tea. (= She read the letter while she was sipping her tea.)
- Actions successives :
> On hearing the doorbell, he got up. (= He heard the doorbell and got up.)

2. Emploi absolu (très rare)
- Actions simultanées :
> Sipping her tea, she read the letter./She read the letter sipping her tea.

La forme en -ing peut se trouver avant ou après la principale.
- Actions successives (très rapprochées) :
> Hearing the doorbell, he got up.

La forme en -ing doit se trouver avant la principale.

Attention :

L'emploi d'une forme en -ing avant la principale est assez formel et appartient surtout à la langue écrite.

- Actions successives.

On peut utiliser having + participe passé pour décrire l'action qui s'est terminée la première :
> Having read the letter, she called Mary.

C. Les participes dans les subordonnées de cause

1. Participe présent
> Feeling tired, Jane went to bed. (= As she was feeling tired, she went to bed.)
> Not recognizing me, he asked my name. (= He did not recognize me, so he asked my name.)

2. Participe passé
> Held up by fog, we couldn't arrive in time. (= We were held up by fog, so we couldn't arrive in time.)

3. Having + participe passé

Having worked very hard, they were exhausted.
(= They had worked very hard, so they were exhausted.)

Attention :

L'emploi des participes dans les subordonnées de cause est beaucoup plus fréquent dans la langue écrite que dans la langue parlée.

33. LE GENRE DES NOMS

À quelques exceptions près, les noms anglais n'ont pas de marque de genre. Celui-ci est surtout indiqué par les pronoms personnels et les adjectifs possessifs.

A. Le genre masculin

1. Il se rapporte surtout à des personnes de sexe masculin :
Look at this man He has his hat in his hand.

2. Le genre masculin s'emploie aussi pour caractériser certains animaux domestiques familiers ou "nobles" de sexe masculin :
My horse has sprained his leg in a ditch.

3. Certains animaux sont généralement considérés comme appartenant au genre masculin (**dog, horse,** etc.) :
This is Fred. He's a nice dog.

B. Le genre féminin

1. Il se rapporte à des personnes de sexe féminin :
Mary is carrying her umbrella under her left arm.

2. Le genre féminin s'emploie aussi pour caractériser certains animaux domestiques familiers ou "nobles" du sexe féminin :
Old Mac Donald has sold his   because   didn't give enough milk.

3. Certains animaux sont généralement considérés comme appartenant au genre féminin (**cat, hare,** etc.) :
My cat didn't drink her milk.

4. Traditionnellement, les bateaux et les navires sont considérés comme féminins :

> The *Titanic* hit an iceberg and she sank four hours later.

5. Formation du féminin

Il existe quand même une marque du féminin pour un certain nombre de noms de personnes et d'animaux (suffixe en -ess) dont voici quelques exemples :

Masculin	Féminin	Masculin	Féminin
actor	actress	lion	lioness
duke	duchess	master	mistress
emperor	empress	poet	poetess
god	goddess	prince	princess
heir	heiress	tiger	tigress
hunter	huntress	waiter	waitress

Certains noms féminins sont différents des noms masculins qui leur correspondent, formant ainsi des ''couples'' comme il en existe en français. En voici quelques exemples :

Masculin	Féminin	Masculin	Féminin
boy	girl	horse *	mare
bridegroom	bride	husband	wife
brother	sister	king	queen
bull	cow	man *	woman
cock	hen	son	daughter
drake	duck *	sheep *	ewe
father	mother	uncle	aunt
gander	goose	widower	widow
gentleman	lady		

Les noms suivis de * sont utilisés pour se référer à l'ensemble de l'espèce.

C. Le genre neutre

1. Il se réfère aux choses, aux objets inanimés :

> This is my house. I like it very much.

2. Les animaux dont on ne spécifie pas le sexe sont en principe neutres :

> The bird is stretching its wings.

3. Les jeunes bébés et animaux dont on ne connaît pas le sexe sont souvent rangés dans le genre neutre :

> I heard a baby. It was crying.

4. Certains noms collectifs *(voir n° 34,B,3)* sont neutres au singulier :
There was a big crowd and it was restless.

Remarque :

L'absence de marque de genre peut poser quelques problèmes de compréhension, surtout pour les noms qui peuvent s'appliquer indifféremment à des hommes ou à des femmes : **teacher, servant, artist, nurse, doctor, student,** etc.
Dans certains cas, on peut faire la distinction entre masculin et féminin par adjonction d'un nom comme : **man, woman, boy, girl, male, female, lady,** etc., qui joue le rôle de qualificatif. Voici quelques exemples :

Masculin	Féminin
boy-cousin	girl-cousin
cock-sparrow	hen-sparrow
man-servant	maid-servant
peacock	peahen
male-nurse	female-nurse

Mais cette distinction ne se fait que si le contexte ne permet pas de comprendre le genre :
A lady-doctor arrived at once.
A doctor arrived. She was in a hurry.

34. LE PLURIEL DES NOMS

A. Pluriels réguliers et irréguliers

1. Pluriels réguliers
• Le pluriel se forme régulièrement en ajoutant -s au nom singulier :
A book/two books.
They have three houses.
• La marque du pluriel régulier est -es pour les noms qui se terminent par -s, -x, -z, -ch ou -sh au singulier :
A bus/buses; a box/boxes; a buzz/buzzes; a church/churches; a brush/brushes.

Attention :

Les noms en -ch prononcé /k/ parce que d'origine grecque ont un pluriel en -s :
a monarch/monarchs

• Prononciation du pluriel (la règle est valable également pour la 3e personne du singulier des verbes au présent simple) :
/z/ après une voyelle et les consonnes sonores /b/, /d/, /g/, /l/, /m/, /n/, /r/, /v/, /ð/.

tubs, beds, dogs, bells, drums, pens, cars, waves, pianos, taxis, lathes.

/s/ après les consonnes sourdes /f/, /k/, /p/, /t/, /θ/.

roofs, banks, tops, cats, months.

Attention :

-ths se prononce /z/ dans les pluriels comme baths, months, paths, etc.

/ɪz/ après les sons /s/, /z/, /dʒ/, /ʃ/, /tʃ/ (pluriels en -ces, -ses, -zes, -xes, -ges, -shes, -ches) :

pieces, houses, breezes, boxes, judges, dishes, matches.

• Les noms propres précédés de l'article **the** suivent la règle générale :

I invited the Johnsons to my birthday party.

2. Pluriels irréguliers

• Pluriel en -en :

an ox/oxen
a child/children

• Pluriel vocalique (changement de voyelle) :

a man/men	a foot/feet
a woman/women ['wɪmɪn]	a goose/geese
a tooth/teeth	a mouse/mice

• Pluriel en -ies. Les noms terminés par une consonne + y forment leur pluriel en -ies :

a lady/ladies	a country/countries
a family/families	a party/parties, etc.

Attention :

Les noms terminés par voyelle + y ont un pluriel régulier : a key/keys; a boy/boys; a way/ways; etc.

• Pluriel en -ves.

Seuls treize noms terminés par -f ou -fe forment leur pluriel en -ves :

knife/knives	leaf/leaves
life/lives	loaf/loaves
wife/wives	calf/calves
wolf/wolves	half/halves
elf/elves	thief/thieves
shelf/shelves	sheaf/sheaves
self/selves	

Les autres ont un pluriel régulier :

> roof/roofs; chief/chiefs; safe/safes; etc.

● Pluriel en -oes.

Les mots terminés par consonne + o forment leur pluriel en -oes quand ils sont d'emploi courant :

> tomato/tomatoes; potato/potatoes; hero/heroes; etc.

● Pluriel en -os.

Les noms terminés par -o forment leur pluriel en -os quand ils sont étrangers ou produits par une abréviation :

> photo/photos ; radio/radios etc. ;
> archipelago/archipelagos ; crescendo/crescendos ; etc.

● Pluriels étrangers.

Certains noms étrangers ont gardé leur pluriel original :

> *Latins :* axis/axes; larva/larvae; datum/data; etc.
> *Grecs :* hypothesis/hypotheses; crisis/crises; phenomenon/phenomena; analysis/analyses; etc.
> *Français :* beau/beaux; bureau/bureaux; etc.

B. Noms invariables

1. Certains noms terminés par -s au singulier (means, series ou species, par exemple) :

> The two series are here.

2. Noms de nationalité terminés par les sons /s/ ou /z/ :

> A Swiss/two Swiss.
> I saw several Japanese in front of Buckingham Palace.

3. Noms collectifs

Ils sont généralement utilisés pour désigner une collectivité, un ensemble d'unités formant un tout. Ils peuvent être singuliers ou pluriels de forme :

> people *(= les gens);* physics *(= la physique).*

Certains sont employés avec un verbe (et un possessif) au singulier, d'autres avec un verbe (et un possessif) au pluriel, d'autres encore peuvent être suivis d'un verbe au singulier ou au pluriel.

● Noms suivis d'un verbe au singulier :

> advice *(= conseils);* knowledge *(= le savoir)*
> progress *(= le/les progrès);* furniture *(= le mobilier)*
> luggage *(= les bagages);* hair *(= les cheveux, la chevelure)*
> information *(= les renseignements),* etc.
> mathematics *(= les mathématiques)* et les noms de sciences terminés par -ics
> news *(= les nouvelles)*
> billiards *(= le billard),* etc.

● Noms suivis d'un verbe au pluriel :

> people *(= les gens);* police *(= la police)*
> cattle *(= le bétail);* poultry *(= la volaille),* etc.

goods *(= la marchandise);* riches *(= la richesse)*
premises *(= lieux, immeuble et ses dépendances),* etc.
Les "pair nouns", qui sont toujours terminés par -s :
trousers, shorts, scissors, glasses *(= lunettes),* spectacles, pyjamas, pants, etc.
• Noms suivis d'un verbe singulier ou pluriel :
draughts *(= jeu de dames);* measles *(= la rougeole);* mumps *(= les oreillons);* headquarters *(= quartier général);* etc.
sheep; deer; salmon; trout et la plupart des noms de poissons; aircraft; hovercraft; etc.

• **Fruit** et **fish** :
Ces noms sont généralement invariables, mais on peut les trouver au pluriel. **Fruits** et **fishes** impliquent que l'on parle de sortes différentes de fruits ou de poissons.

Attention :
Pour certains de ces noms collectifs, on peut exprimer l'unité à l'aide de tournures spéciales :
a piece of advice/information/news/furniture
a pair of trousers/glasses/scissors
a head of cattle. On exprime le singulier de people par one person.

C. *Noms composés*

1. Règle générale
C'est le deuxième ou le dernier élément qui prend la marque du pluriel :
railway-stations; bus-drivers; grown-ups; forget-me-nots; etc.

2. Exceptions
• Nom + préposition.
C'est le nom qui prend la marque du pluriel :
passers-by; lookers-on; etc.
• **Man** ou **woman** comme premier élément.
Ce sont les deux éléments qui prennent la marque du pluriel :
women-candidates; men-students; etc.

Pour la formation des noms composés : voir le n° 48.

35. LE GENITIF ou "CAS POSSESSIF"

On appelle génitif ou "cas possessif" la marque 's ou ' ajoutée à un nom pour indiquer la possession. L'emploi du génitif obéit à des règles précises. Dans certains cas, l'idée de possession est exprimée par un complément de nom introduit par of.

A. Forme

1. Ordre des mots
Possesseur + 's + chose possédée :
> This is John's car. *(= C'est la voiture de John.)*

Attention :
On remarquera l'absence d'article devant le nom qui désigne la chose possédée. Le possesseur peut être précédé d'un article :
> The farmer's house... *(= La maison du fermier...)*

2. Possesseur au singulier
La marque du génitif est 's :
> Sheila is my cousin's sister.

3. Possesseur au pluriel
- Si le pluriel se termine par -s ou -es, on ne met que l'apostrophe :
> Have you ever seen my friends' cottage?
- Si le pluriel est irrégulier (et ne se termine pas par -s), on utilise 's :
> We have redecorated the children's room.

4. Noms composés
Si le possesseur est un nom composé, c'est le dernier élément qui prend la marque du génitif :
> I borrowed my mother-in-law's umbrella.

5. Plusieurs possesseurs
- Propriété individuelle :
> John's and Mary's books (chacun possède un livre).
- Propriété collective :
> John and Mary's house (une seule maison pour les deux).

6. Noms propres
- Noms propres terminés par -s. On utilise 's que l'on prononce /ɪz/ :
> St James's Park. Charles's hat.
- Noms propres latins, grecs ou étrangers terminés par -s, es, ou -x. On ne met que l'apostrophe :
> Socrates' death. Cassius' son.

1. Règle générale

D'une manière générale, on ne peut employer le génitif que si le possesseur est un animé (une personne ou un animal) :

> The horse's legs (mais : the legs of the table).

2. Emploi elliptique (certains parlent de "cas possessif incomplet" parce qu'on ne mentionne pas la chose possédée).

- Pour éviter une répétition, ou si le sens est assez clair :

> Whose pen is this? It's Bill's.
> This is my chair, and that's Mary's.

- Dans les expressions de lieu (correspondant au français "chez") :

> Have you been to the baker's? (= the baker's shop).
> We've been at the Johnsons' all the morning (= at the Johnsons' house).

- Dans les tournures idiomatiques :

> He is a friend of my father's. (= He is one of my father's friends.)

3. Extension de l'emploi du génitif

- Emploi générique (c'est-à-dire s'appliquant à toute une catégorie, une classe, ou une espèce) :

> Where did you take your master's degree?

- Emploi (obligatoire) dans des expressions de temps :

> Did you read yesterday's paper?
> We took a week's holiday.
> It will be an hour's drive.

- Emploi dans des expressions de distance :

> It's only a mile's walk.

- Emploi pour une ville ou un pays :

> She knows a lot about Rome's history.
> They had a long discussion about India's future.

- Emploi pour un groupe de personnes :

> I don't agree with the government's decision.

- Emploi dans des expressions toutes faites :

> A girls'/a boys' school. A lovers' quarrel.
> A grandfather's clock.
> For heaven's sake. At arm's length, etc.

4. Emploi de "of" au lieu du génitif

- Pour les choses :

> I was standing at the door of the house.

- Pour les personnes, surtout quand le "possesseur" est complété par une expression ou une proposition :

> I can hear the shouts of the children playing in the street.
> We saw the shadow of a man standing in the doorway.

36. L'ARTICLE INDEFINI A/AN

A. Forme

A devant un son consonne et **an** devant un son voyelle :
> There's a table in my room.
> He wears a uniform. I have been waiting for an hour and a half.
> A zebu is an animal.

B. Emploi

1. L'article **a/an** garde parfois son sens étymologique numéral :
> A hundred *(= cent);* a third *(un tiers);* etc.

2. L'article indéfini ne s'emploie, en principe, que devant un dénombrable singulier. Il permet donc de désigner une unité quelconque dans un ensemble de dénombrables :
> Give me a chair. *(= Donnez-moi une chaise, n'importe laquelle.)*

Attention :
Les indénombrables n'étant pas constitués d'unités séparées, on ne peut pas employer l'article indéfini devant eux :
> She drinks water.
> Bill showed great courage.

Cependant, on peut parfois transformer un indénombrable en dénombrable à l'aide de l'article indéfini :
> There was a short silence ... (= a short period of silence).

3. On emploie l'article indéfini devant un nom attribut ou en apposition :
> She's a teacher. Her husband, an engineer for IBM, is forty years old.

Si le nom désigne un titre qui ne convient qu'à une seule personne, on ne met pas d'article :
> Mr Brown was mayor last year.

4. A/an est utilisé après une préposition suivie d'un dénombrable singulier :
> Mrs Smith went out without an umbrella.

5. Emploi distributif de l'article indéfini :
> I go to London three times a week. *(= Je vais à Londres trois fois par semaine.)*
> The speed was sixty miles an hour. *(= La vitesse était (de) soixante miles à l'heure.)*

6. Après as *(= en tant que, en qualité de)* :

> He served as an officer during the war.

7. Après what et such suivis d'un dénombrable singulier dans les tournures exclamatives :

> What a nice house it is!
> It is such a nice house!

C. Place de a/an

1. A/an se placent devant un nom employé seul ou devant l'adjectif épithète :

> I saw a dress in this shop. It was a beautiful dress.

2. Avec so, as, too et how, l'article indéfini se place entre l'adjectif et le nom :

> It was too nice a day to stay at home.
> She is as pretty a girl as her sister.
> He is not so clever a boy as his brother.
> I didn't know how big a house it was.

37. L'ARTICLE DEFINI "THE"

L'article défini the *est un ancien démonstratif. A cause de cette origine, il sert à désigner ce qui est particulier, et on ne peut l'employer que si le nom est bien déterminé, c'est-à-dire si on sait de quelle personne, de quel animal ou de quel objet il s'agit.*

A. Prononciation de the

1. Devant un son consonne, **the** se prononce /ðə/ :

> The waiter; the uniform; the hero, etc.

2. Devant un son voyelle, **the** se prononce /ðɪ/ :

> The animal; the hour; the ears, etc.

3. Quand on veut lui donner un sens emphatique, **the** se prononce /ðɪ :/

> Champagne is **the** wine! *(= Le Champagne est le vin par excellence!)*

1. Règle générale

The correspond au maximum de spécification ou de détermination :

> Give me the book (il n'y en a qu'un, ou bien je le montre).

Les pluriels et les indénombrables génériques s'utilisent sans article défini :

> Are boys better than girls? *(= Les garçons sont-ils meilleurs que les filles?)*
> I like milk. *(= J'aime le lait.)*

Cependant, on emploie **the** pour signaler le caractère spécifique :

> Look at the boys (pas n'importe quel ensemble de garçons, ou les garçons par rapport aux filles dans un ensemble d'enfants).
> Pass me the salt, please (celui qui est sur la table).

La détermination d'un nom peut être donnée par le contexte.

• Contexte situationnel. C'est la situation qui permet de savoir de qui ou de quoi il s'agit, notamment dans le cas où l'on se réfère à des choses ou des personnes uniques dans leur catégorie (on ne peut pas les confondre avec d'autres) :

> the sun; the moon; the sky; the king; the teacher (celui de la classe, donc le seul); the right (opposé à the left), etc.

• Contexte linguistique.

— Référence antérieure :

> I saw a boy and a girl. The boy was wearing a hat.

— Référence postérieure :

> This is the article I wanted you to read.

— Co-détermination :

> Take the second street on your left.
> It's the best meal I've ever had.

2. Règles particulières

• On emploie **the** devant les adjectifs pris comme noms :

> The rich may be unhappy.

• On n'emploie pas **the** après **whose** et après un génitif :

> This is the boy whose father is a doctor.
> This boy's father is a doctor.

• Certains noms propres s'emploient avec l'article défini **the**.

— Les noms de famille au pluriel :

> The Browns are at home.

— Les noms de fleuves :

> The Thames; the river Seine; the Missouri, etc.

— Les noms géographiques ayant la forme d'un dénombrable au pluriel :

> The Alps; the Netherlands, the USSR; etc.
> The United States is a big country.

— Les noms géographiques ayant la forme d'un nom commun précédé d'un qualificatif :

> The United Kingdom ; the Soviet Union.

Attention :

Parfois un seul des deux termes est exprimé :

> The Pacific (Ocean) ; the (English) Channel ; the Mediterranean ; etc.

• On n'emploie pas l'article défini devant les noms de pays au singulier, même précédés d'un qualificatif, ni en général devant le nom d'une langue :

> France ; Great Britain ; Northern Ireland ; China ; French is easy ; etc.

• Expressions adverbiales usuelles sans l'article défini :
— Temps : Next time ; last year ; by day ; by night ; at night ; all day ; all day long ; etc.
— Lieu : At school ; at home ; in prison ; in bed ; in town ; to go to church/to school/to hospital/to town/to market ; by train/air/water ; to go to work/into business ; etc.

• Expressions adverbiales avec l'article défini :
— Temps : In the day ; in the night ; in the morning ; in the afternoon ; in the evening ; the following morning ; the day after ; the day before ; all the year round ; etc.
— Lieu : In the country ; in the mountains ; in the fields ; in the open ; on the right ; on the left ; etc.

38. LES PRONOMS

Le rôle d'un pronom est de se substituer à un nom (ou un groupe nominal) : on l'appelle parfois "substitut du nom".

A. Les pronoms personnels

1. Forme

	Singulier		Pluriel	
	Sujet	Complément	Sujet	Complément
1re pers.	**I**	**me**	**we**	**us**
2e pers.	**you**	**you**	**you**	**you**
3e pers.	**he/she/it**	**him/her/it**	**they**	**them**

2. Emploi

- On utilise **I/me** pour désigner celui qui parle :
  > I can't lift the table. Help me lift the table, please.
- **You** désigne la personne ou les gens à qui l'on s'adresse :
  > If you need help, I'll help you.
- Pour parler d'une personne ou d'un animal (familier) du sexe masculin, on se sert de **he/him** :
  > Where's Peter? He's here. Well, I want to talk to him.
- S'il s'agit d'une personne ou d'un animal (familier) du sexe féminin, on emploie **she/her** :
  > What about Mary? Is she in? No, I haven't seen her.
- **It** désigne une chose ou un animal *(voir aussi n° 3 ci-dessous)* :
  > I've got a big car. It's over there. You can see it.
- **We/us** désignent un groupe d'au moins deux personnes, dont celui qui parle fait partie :
  > We're going to town. Can you give us a lift?
- **They/them** servent à parler de deux ou de plusieurs personnes, animaux, ou choses :
  > Are the boys here? Yes, they are. Well, tell them to come at once.

3. Emplois de it

- **It** peut désigner une personne, quand on dit ou que l'on demande qui c'est :
  > There's someone at the door. Who is it? It's John.
- Dans les tournures impersonnelles :
  > It was late *(= il était tard)*. It's raining *(= il pleut)*.
  > It happened last night *(= c'est arrivé hier soir)*.
  > It would be nice if they could come *(= cela serait bien s'ils pouvaient venir)*.
  > It was Mary who wanted to leave *(= c'est Mary qui a voulu partir)*.

4. Emplois particuliers de we, you, they et de one

- **We** correspond parfois à une tournure impersonnelle :
  > We happened to mention it. *(= Il nous est arrivé d'en parler).*
- **You** peut servir à parler des gens en général (y compris celui qui parle). C'est aussi le cas de **one**, dans un style plus formel :
  > You never can tell. *(= On ne sait jamais.)*
  > One cannot always find time for reading. *(= On ne peut pas toujours trouver le temps de lire.)*
- **They** désigne un groupe de gens qu'il n'est pas nécessaire de préciser, ou le gouvernement, ou les autorités, ou encore les gens en général :
  > They're building a new house in my street. *(= On construit/ils construisent une nouvelle maison dans ma rue.)*
  > They should do something about imports. *(= Ils devraient/on devrait faire quelque chose pour les importations.)*

They say he's a very good actor. *(= On dit que c'est un très bon acteur.)*

B. Pronoms et adjectifs possessifs

1. Forme

Adjectifs	Pronoms
my car	**mine**
your books	**yours**
his pen	**his**
her house	**hers**
its door	**its**
our dog	**ours**
their cat	**theirs**

2. Emploi

• On utilise les adjectifs et les pronoms possessifs pour montrer que quelque chose appartient à quelqu'un :

This isn't my hat. Mine is here. *(= Ce n'est pas mon chapeau. Le mien est ici.)*

Here's John's book. Give him his book. — It isn't his, it's yours. *(= Voici le livre de John. Donnez-lui son livre. — Ce n'est pas le sien, c'est le vôtre.)*

Attention :

On utilise les adjectifs et les pronoms possessifs avec les parties du corps et les vêtements :

Don't put your hands on my shoulders. *(= Ne me posez pas les mains sur les épaules.)*

His hair is dark, but mine is fair. *(= Il a les cheveux foncés, les miens sont clairs).*

• **Of** + pronom possessif :

He's a friend of mine. *(= C'est un de mes amis.)*

I've got a few books of yours. *(= J'ai quelques-uns de vos livres.)*

C. Pronoms réfléchis et emphatiques

1. Forme

myself	ourselves
yourself	yourselves
himself/herself/itself	themselves

2. Emploi

• Les pronoms réfléchis s'emploient lorsque le complément et le sujet de la phrase sont une même personne (ou un même animal, ou une même chose). C'est "la conjugaison pronominale réfléchie" :

> I'm looking at myself in the mirror. *(= Je me regarde dans le miroir.)*
> He killed himself. *(= Il s'est tué.)*
> This machine switches itself on and off. *(= Cette machine s'allume et s'éteint toute seule.)*

• Les pronoms emphatiques (qui ont la même forme que les pronoms réfléchis) servent à insister sur un nom ou un groupe nominal :

> I can do it myself. *(= Je peux le faire moi-même.)*
> The Queen herself visited our school two years ago. *(= La reine en personne a visité notre école il y a deux ans.)*

D. Les pronoms réciproques

1. Forme

each other	one another

2. Emploi

Ils servent à la "conjugaison pronominale réciproque". En principe, **each other** sert pour deux personnes et **one another** pour plus de deux personnes. Dans la pratique courante, on utilise les deux pronoms indifféremment, avec une préférence pour **one another** quand il s'agit de plus de deux personnes :

> We see each other at the office every day. *(= Nous nous voyons au bureau chaque jour.)*
> They don't like one another. *(= Ils ne s'aiment pas — les uns les autres.)*

On peut utiliser le cas possessif avec les pronoms réciproques :

> They often borrow each other's cars. *(= Ils s'empruntent souvent — mutuellement — leurs voitures.)*

E. Pronoms et adjectifs démonstratifs

1. Forme

Singulier	Pluriel
this that	these those

2. Emploi

On utilise **this/these** pour désigner ce qui est proche de celui qui parle, et **that/those** pour désigner ce qui en est plus éloigné.

This/these et **that/those** peuvent s'employer comme adjectifs démonstratifs :

> Look at this box/these boxes here.
>
> That box/those boxes over there are too big.

This/these et **that/those** peuvent aussi être pronoms démonstratifs :

> This is a nice coat/These are nice coats.
>
> Well, that's expensive. Do you like those over there?

F. *One et ones*

Ce sont des substituts du nom (ou du groupe nominal) qui permettent souvent d'éviter des répétitions. **One** remplace un nom singulier, **ones** un nom pluriel :

> Do you want a big box or a small one? The small ones are cheaper.
>
> I like all these dresses, but I prefer the one with red stripes.
>
> I've got a lot of books. Would you like to borrow one?

G. *Pronoms relatifs*

Voir n° 41.

39. LES QUANTIFICATEURS INDEFINIS

Les quantificateurs indéfinis (ou « indéfinis de quantité ») ne donnent qu'une idée approximative, imprécise, non définie, de la quantité ou du nombre.

A. *Some, any et no*

1. Some et any

● On utilise **some** dans les phrases affirmatives :

> Give me some milk, please. *(= Donnez-moi du lait, s'il-vous-plaît.)*
>
> I have some flowers in my garden. *(= J'ai des fleurs dans mon jardin.)*

• **On remplace some** par **any** dans les phrases interrogatives et négatives :

> Have you any sugar? *(= Avez-vous du sucre?)*
>
> They haven't any children. *(= Ils n'ont pas d'enfants.)*

• **Some** peut être utilisé dans les questions dont on pense que la réponse sera « oui » :

> Will you have some tea? *(= Prendrez-vous du thé?.)*
>
> Aren't there some plates in that cupboard? *(= N'y a-t-il pas des assiettes dans ce placard?)*

Attention :

On emploie some et any soit avec des indénombrables ("milk", par exemple), soit avec des dénombrables au pluriel ("flowers" ou "children", par exemple). On peut cependant se servir de **some** ou de **any** avec un dénombrable singulier. Dans ce cas, **some** signifie « un certain » et **any** « n'importe quel » :

> He's looking for some book he's lost. *(= Il cherche un certain livre qu'il a perdu.)*
>
> I'll take any book. *(= Je prendrai n'importe quel livre.)*

2. No (et none)

• **No** a un sens négatif (il peut remplacer **not any,** mais avec un sens plus fort) :

> I had no money left. *(= Je n'avais plus d'argent du tout.)*
>
> I hadn't any money left. *(= Je n'avais plus d'argent.)*

• On ne peut pas employer **no** sans qu'il soit accompagné d'un nom. Quand **no** n'est pas immédiatement suivi d'un nom (on ne peut **jamais** avoir *no + of)*, on remplace **no** par **none :**

> There's no chair in this room. *(= Il n'y a pas de chaise dans cette pièce.)*
>
> They had no eggs. *(= Ils n'avaient pas d'œufs.)*

• On ne peut pas employer **no** sans qu'il soit accompagné d'un nom. On ne peut pas non plus utiliser **no + of.** Dans ces cas, on remplace **no** par **none :**

> Is there any milk left? No, there's none. *(= Reste-t-il du lait? Non, il n'y en a pas.)*
>
> None of them has come back yet. *(= Aucun d'entre eux n'est encore revenu.)*

> **B.** *Le choix entre dénombrables*

1. Every, each et all

• **Every** *(= chaque, chacun de..., tous les...)* sert à évoquer un grand nombre indéfini de personnes, d'animaux ou de choses :

> I have read every book on that shelf. *(= J'ai lu chacun des livres de ce rayon.* Dans ce cas, on pourrait aussi dire : " I've read all the books on that shelf.")

• **Each** évoque chacun des éléments d'un groupe, pris individuellement. Le groupe est d'un nombre défini (et souvent petit) :

> Each boy — in the class — may have two tries. *(= Chacun des garçons — dans la classe — peut faire deux essais.)*

Si je dis "Every boy in the class...", j'attire l'attention sur l'ensemble. Si je dis "Each boy in the class...", j'attire l'attention sur chaque individu.

- **All** a le même sens que **every** et sert à évoquer un ensemble tout entier. Employé seul, il a un sens général :

> All men are equal *(= Tous les hommes sont égaux).*

- **All (of) the** + **nom** a un sens plus restreint (emploi assez rare) :

> All (of) the pupils are here *(= Tous les élèves - de la classe - sont ici.)*

- **All** peut être utilisé avec des indénombrables ou des dénombrables au singulier :

> She's drunk all the cup *(= Elle a bu toute la tasse.)*
> He spent all his life in London *(= Il a passé toute sa vie à Londres.)*

Attention :

Avec un nom au singulier, on peut remplacer **all** par **whole** ou **the whole** :

> He swallowed the whole cake. *(= Il a avalé le gâteau tout entier.)*

2. Other/others, another, some more

- **Other/others** peuvent s'employer avec des indénombrables ou des dénombrables :

> They live on the other side of the street. *(= Ils habitent de l'autre côté de la rue.)*
> John has arrived, but where are the others? *(= John est arrivé, mais où sont les autres?)*
> This milk is better than the other. *(= Ce lait est meilleur que l'autre.)*

- **Another** ne s'emploie qu'avec des dénombrables :

> Would you like another cup of tea? *(= Voulez-vous une autre tasse de thé?)*
> Let's try another cheese. *(= Essayons un autre fromage — c'est-à-dire un fromage différent.)*

- **Some more** est utilisé avec des dénombrables et des indénombrables :

> Have some more soup. *(= Prenez plus de soupe.)*
> Would you like some more sweets? *(= Voulez-vous plus de bonbons?)*

3. Both, either, neither

- **Both** permet de parler de deux personnes, animaux ou choses ensemble :

> Hold this vase in both hands. *(= Tenez ce vase avec les deux mains.)*

Attention :

On peut employer **both the** + nom, **both of the** + nom, **both** + **these/those** ou **both** + adjectif possessif + nom :

> I want both the books / I want both of the books / I want both these books / I want both your books / etc.

• **Either** *(= l'un ou l'autre)* et **neither** *(= ni l'un ni l'autre)* s'emploient avec un nom singulier. Pour les noms au pluriel, on emploie **either of the/neither of the** :

> Take either piece of cake; they're exactly the same. *(= Prenez l'un ou l'autre morceau de gâteau ; ce sont exactement les mêmes.)*
> Neither room is large enough. *(= Ni l'une ni l'autre de ces pièces n'est assez grande.)*
> I don't like either of these boys = I like neither of these boys. *(= Je n'aime ni l'un ni l'autre de ces garçons.)*

4. Any et no. *Voir A ci-dessus.*

C. A lot of/lots of, much, many, a little, a few

1. A lot of/lots of
Ces quantificateurs s'emploient dans des phrases affirmatives, avec des dénombrables ou des indénombrables.
• Avec des dénombrables :

> He's got a lot of books. *(= Il a beaucoup de livres.)*
> There were lots of people in the shop. *(= Il y avait des quantités de gens dans la boutique.)*

• Avec des indénombrables :

> He spends a lot of money on clothes. *(= Il dépense beaucoup d'argent en vêtements.)*
> Don't hurry, we've got lots of time. *(= Ne vous pressez pas, nous avons beaucoup de temps.)*

2. Much (avec des indénombrables) et **many** (avec des dénombrables) s'emploie d'ordinaire dans des phrases interrogatives ou négatives. On peut cependant les utiliser dans des phrases affirmatives.
• **Much :** This job won't take much time. *(= Ce travail ne prendra pas beaucoup de temps.)*
Did you have much trouble finding our house? *(= Avez-vous eu beaucoup de difficulté à trouver notre maison ?)*
We haven't got much time. *(= Nous n'avons pas beaucoup de temps.)*
• **Many :** Were there many people at the meeting? *(= Y avait-il beaucoup de gens à la réunion ?)*
I haven't got many books. *(= Je n'ai pas beaucoup de livres.)*
Many adults cannot read. *(= Beaucoup d'adultes ne savent pas lire.)*

3. (A) little et (a) few
• **Little** *(peu)* et **a little** *(un peu)* ne s'emploient qu'avec des indénombrables :

> He made little progress. *(= Il a fait peu de progrès.)*

There's only a little milk left. *(= Il ne reste qu'un peu de lait.)*

• **Few** *(peu)* et **a few** *(quelques)* ne s'emploient qu'avec des dénombrables :

I made few mistakes. *(= J'ai fait peu de fautes.)*
We are going away for a few days. *(= Nous partons pour quelques jours.)*

Attention :

Little, few, much et **many** peuvent se combiner avec **too, so** et **how :**
too little/too few *(trop peu);* **too much/too many** *(trop);* **so little/so few** *(si peu);* **so much/so many** *(tant);* **how little/how few/how much/how many** *(combien).*

There never were so few people. *(= Il n'y a jamais eu si peu de gens.)*
You make too much noise. *(= Vous faites trop de bruit.)*
He ate so many cakes that he was sick. *(= Il a mangé tant de gâteaux qu'il a été malade.)*
How much money do I owe you? *(= Combien d'argent est-ce que je vous dois ?)*
We see too little of them. *(= Nous les voyons trop peu.)*

D. Several, enough, plenty of

1. Several *(plusieurs)* ne s'emploie qu'avec des dénombrables :

I've read this book several times. *(= J'ai lu ce livre plusieurs fois.)*
Several of them decided to walk home. *(= Plusieurs d'entre eux décidèrent de rentrer chez eux à pied.)*

2. Enough et plenty of s'emploient avec des dénombrables et des indénombrables :

Have you enough money to pay for the books? *(= Avez-vous assez d'argent pour payer les livres ?)*
We've got plenty of time. *(= Nous avons largement le temps.)*
Are there enough books for everyone? *(= Y a-t-il assez de livres pour tout le monde ?)*
John ate plenty of sweets. *(= John a mangé beaucoup de bonbons.)*

Attention :

Il ne faut pas confondre **enough,** indéfini, avec **enough,** adverbe de quantité, qui se place toujours après l'adjectif qu'il modifie :

They're old enough to understand. *(= Ils sont assez vieux pour comprendre.)*

E. Les degrés de comparaison des indéfinis de quantité

La plupart des indéfinis exprimant une quantité peuvent avoir des degrés de comparaison (comparatifs et superlatifs).

1. Égalité et non-égalité

• L'égalité s'exprime à l'aide de **as... as** :

> I spend as little money as you do. *(= Je dépense aussi peu d'argent que vous.)*
>
> Take as much money as you need. *(= Prenez autant d'argent que vous en avez besoin.)*

• La non-égalité s'exprime à l'aide de **not as... as** ou de **not so... as** :

> There were not so many people as were expected. *(= Il n'y avait pas autant de gens que l'on en attendait.)*

2. La supériorité

• Comparatifs :

Le comparatif de **little** est **less**, celui de **few** est **fewer**, et celui de **much/many** est **more** (voir aussi n° 42 B1) :

> You've got more friends than I have. *(= Vous avez plus d'amis que moi/que j'en ai.)*
>
> I've got fewer friends than you have. *(= J'ai moins d'amis que vous.)*
>
> He spends less money than I do. *(= Il dépense moins d'argent que moi.)*

• Superlatifs : le superlatif de **little** est **the least,** celui de **few** est **the fewest** et celui de **much/many** est **the most** :

> Mary is the one who's got the least money. *(= Mary est celle qui a le moins d'argent.)*
>
> Which of you made the fewest mistakes? *(= Lequel d'entre vous a fait le moins de fautes?)*
>
> Which of them has read the most books? *(= Lequel d'entre vous a lu le plus de livres?)*

Attention :

Most (sans **the**) signifie « la plupart » :

> Most children like sweets. *(= La plupart des enfants aiment les bonbons.)*

F. Les composés de every, some, any, no

---

1. Pronoms

Les composés de **every, some, any, no** avec **thing, body** et **one** sont uniquement pronoms et au singulier. Les composés de **some** et de **any** suivent les mêmes règles que **some** et **any** dans les phrases négatives et interrogatives.

• Les composés avec **one** ou **body** :

> Everyone/everybody likes Mary. *(= Tout le monde aime bien Mary.)*
>
> Someone/somebody told me so. *(= Quelqu'un me l'a dit.)*
>
> Has anyone/anybody seen her? *(= Est-ce que quelqu'un l'a vue?)*
>
> No one/nobody can answer. *(= Personne ne peut répondre.)*

- Les composés avec **thing** :

> They took everything. *(= Ils ont tout pris.)*
> There's something I want to tell you. *(= Il y a quelque chose que je veux vous dire.)*
> Did you understand anything? *(= Avez-vous compris quelque chose?)*
> I can do nothing for you. *(= Je ne peux rien faire pour vous.)*

2. Adverbes

Every, some, any et **no** peuvent se combiner avec **where** ou d'autres mots pour former des adverbes.

- Les composés avec **where** (adverbes de lieu) :

> He can be seen everywhere. *(= On peut le voir partout.)*
> I couldn't find my key anywhere. *(= Je n'ai pu trouver ma clef nulle part.)*
> It is nowhere here. *(= Elle n'est nulle part ici.)*
> It must be somewhere. Have you seen it anywhere? *(= Elle doit être quelque part. L'avez-vous vue quelque part?)*

- Autres composés.

— Avec **how** :

Somehow *(= d'une manière quelconque)*; **anyhow** *(= n'importe comment)*; **nohow** *(= en aucune manière)*.

> It must be done somehow. *(= Il faut que cela soit fait par n'importe quel moyen.)*

— Avec **way** :

Anyway *(= n'importe comment, en tout cas)*; **everyway** *(= de toutes les façons)*; etc.

> Anyway, I'm not going to do it. *(= En tout cas, je ne vais pas le faire.)*

G. Emplois particuliers des quantificateurs indéfinis

1. Omission du nom

Si le sens est suffisamment clair, on peut omettre un nom après un quantificateur indéfini :

> I need some money. Can you lend me some?
> Well, I can lend you a little. How much do you want?
> Have you got any stamps? — I haven't got a lot, but I can give you a few. How many do you want?

2. Quantificateur indéfini + of

On utilise **of** pour caractériser une partie d'une quantité limitée et définie :

> I'll have a little of this wine. *(= Je prendrai un peu de ce vin.)*
> A few of my friends will come. *(= Quelques-uns de mes amis viendront.)*

40. LES INTERROGATIFS

1. Les adjectifs
* Forme : **what** ; **which.**
* Emploi : **what** sert à l'identification des personnes, des animaux ou des choses :

> What time is it? *(= Quelle heure est-il?)*
> What birds are those? *(= Quels sont ces oiseaux?)*
> What man is this? *(= Quel est cet homme?)*

Which sert à la sélection, au choix, entre deux ou parmi un groupe limité en nombre de personnes, d'animaux ou de choses :

> Which book do you like best? *(= Quel livre aimez-vous le mieux?)*
> Which foreign languages have you studied? *(= Quelles langues étrangères avez-vous étudiées?)*
> Which shoes do you prefer, the black ones or the brown ones? *(= Quelles chaussures préférez-vous, les noires ou les marron?)*

2. Les pronoms
* Forme : **who, whom, whose, which, what.**
* Emploi : **who** (sujet) et **whom** (complément dans la langue littéraire ou le style soutenu) portent sur l'identité des personnes :

> Who came? — John. *(= Qui est venu? — John.)*
> Whom did you see? *(= Qui avez-vous vu?)* = Who did you see? (dans la langue parlée).

Whose porte sur la possession (sujet ou complément) :

> Whose car is this? *(= A qui est cette voiture?)*
> Whose book did you take? *(= A qui appartient le livre que vous avez pris?)*

Which porte sur la sélection, le choix d'une personne, d'un animal ou d'une chose ou complément :

> Which of you laughed? *(= Lequel d'entre vous a ri?)*
> Which of these books will you have? *(= Lequel de ces livres prendrez-vous?)*

Attention :

Le pronom interrogatif sujet est suivi d'un verbe à la forme affirmative, le pronom interrogatif complément est suivi d'un verbe à la forme interrogative.

What (sujet ou complément) porte sur l'identification des choses, ou sur la fonction des personnes :

> What makes this noise ? *(= Qu'est-ce qui fait ce bruit ?)*
> What do I see ? *(= Que vois-je ?)*
> *What is her father ? He's a teacher (= Que fait son père ? Il est professeur.)*

3. Les adverbes et les locutions adverbiales avec how

- Lieu. **Where, how far :**

> Where is the post office, please? *(= Où est la poste, s'il-vous-plaît?)*
> How far did you go? *(= Jusqu'où êtes-vous allé?)*

- Temps. **When, how soon, how long, how long ago, how often :**

> When will you come? *(= Quand viendrez-vous? Localisation simple dans le temps.)*
> How soon can you be ready? *(= En combien de temps pouvez-vous être prêt? Localisation relative dans le temps.)*
> How long ago is it that you last saw her? *(= Combien de temps y a-t-il que vous l'avez vue pour la dernière fois? Localisation relative dans le temps.)*
> How long did it take? *(= Combien de temps cela a-t-il pris? Durée.)*
> How often do you see him? *(= Le voyez-vous souvent? Fréquence.)*

- *Cause.* **Why** *(= pourquoi) :*

> Why are they running so fast? *(= Pourquoi courent-ils si vite?)*

- Manière, appréciation. **How, how big, how tall,** etc. :

> How can I get there? *(= Comment puis-je y aller?)*
> How old is John? *(= Quel âge a John?)*
> How tall is he? *(= Quelle est sa taille/Combien mesure-t-il?)*

B. *Place des prépositions dans les questions*

1. D'ordinaire, la préposition a la même place dans une question que dans une déclaration simple :

> What is it made of? It's made of wood.
> Who have you been playing with? I've been playing with Peter.

2. Dans un style soutenu, ou dans la langue écrite, on peut mettre la préposition en tête de la question :

> In which part of the town does he live?
> To whom did you speak?

Attention :

On doit employer *whom* (au lieu de *who*) après une préposition.

3. What... for? = why?

> What did you do that for? = Why did you do that?

71

4. What... like?

> What is he like? *(= Comment est-il?)*
> What is the weather like?

On répond à cette question par un adjectif ou une brève description :

> He's tall and fair-haired.
> It's warm/cool/wet.

41. PRONOMS RELATIFS & SUBORDONNEES RELATIVES

Un pronom est dit "relatif" parce qu'il met en relation le nom ou le groupe nominal qu'il remplace avec une proposition subordonnée "relative". Comme le nom (ou le groupe nominal) remplacé précède le pronom, on le nomme "antécédent". Une subordonnée relative peut définir ou non l'antécédent du pronom relatif. C'est la raison pour laquelle on parle de relatives "définissantes" ou "non-définissantes".

A. Définitions

1. Considérons la phrase :

> The man who telephoned was a friend of yours.

Who est un pronom relatif qui remplace **the man** (son antécédent) et qui introduit la subordonnée relative **who telephoned**, qui est définissante (ce n'est pas n'importe quel homme, c'est celui qui a téléphoné).

2. Dans la phrase :

> Mary Ryan, who came yesterday, is an old friend of mine.

Mary Ryan est l'antécédent de **who,** pronom relatif qui introduit une subordonnée relative **who came yesterday,** qui est non-définissante (que Mary Ryan soit venue hier n'apporte qu'un complément d'information).

B. Les pronoms relatifs

1. Who et which

• On utilise **who** quand l'antécédent est un être humain et **which** quand l'antécédent est un animal ou une chose :

> I know the people who live in this big house.
> This is the book which you wanted.

- **Who** et **which** peuvent avoir la fonction de sujet ou de complément d'une relative :

Sujet :   It's the girl who wanted to see you.

                Give me the hat which is on the chair.

Complément : Mary is the girl who you met three days ago.

                This is the book which you bought this morning.

2. That

On peut utiliser le pronom relatif **that** à la place de **who** ou de **which** (sujet ou complément) :

- En général, on emploie **that** lorsque l'antécédent n'est pas un être humain :

                Is this the bus that goes down town ?

- On emploie parfois **that** lorsque l'antécédent est un être humain (mais on utilise **who** beaucoup plus souvent) :

                Do you know the boy that waved to us ?

3. Le pronom ∅ (ou omission du pronom relatif)

Il est possible d'omettre **who, which ou that**

- Quand il est complément d'une subordonnée relative :

                Mary is the girl you met three days ago.

                This is the book you bought this morning.

- Quand il y a une préposition :

                There are the people I stayed with.

                Here is the key you were looking for.

Attention :

On ne peut pas omettre le pronom relatif sujet d'une subordonnée relative.

4. Whom

- On peut utiliser **whom** à la place de **who** lorsqu'il est complément de la subordonnée relative :

                That is the man whom I saw yesterday.

                My brother, whom you met last week, has just left for America.

- On peut aussi employer **whom** quand il y a une préposition :

                I know the people whom you stayed with.

                The Johnsons, to whom I was introduced this morning, have come here from Devon.

Attention :

Whom n'est que très peu utilisé dans la langue parlée.

5. Whose et of which

- **Whose** marque la possession. Autrefois, il ne s'utilisait que pour les personnes. En anglais contemporain, on l'emploie pour toutes sortes d'antécédents : personnes, pays, animaux ou choses, ce qui évite la construction plus lourde avec **of which** :

                Mr Smith, whose car I borrowed, is a very good friend of mine.

                They live in the house whose windows are broken.

                That's the dog whose owner complained to me.

• On utilise aussi **of which** quand l'antécédent n'est pas un être humain. Cependant, les constructions avec **of which** sont lourdes et donc peu usitées :

> Don't take the chair one leg of which is broken.

On préfère utiliser des tournures plus simples :

> Don't take the chair with a broken leg.
> They live in the house with broken windows.

6. Which et what

• **Which** peut avoir la proposition principale entière comme antécédent :

> John told me he had lost the book, which was not true.
> *(= John m'a dit qu'il avait perdu le livre, ce qui n'était pas vrai.)*

• **What** *(= ce que/la chose que)* est à la fois l'antécédent et le relatif de la subordonnée :

> What he says in not important. *(= Ce qu'il dit n'est pas important.)*
> Let me know what you want to do. *(= Faites-moi savoir ce que vous voulez faire.)*

7. Where, when, why, how

Ces quatre relatifs sont des adverbes qui ont la fonction de compléments circonstanciels (**where** pour le lieu, **when** pour le temps, **why** pour la cause, et **how** pour le moyen).

• **(The place) where.**

Where a pour antécédent "**the place**" ou un nom de lieu :

> This is the place where I stayed last month (= this is the place I stayed at last month).
> I'd like to live in a country where the sun always shines.

Attention :

On peut utiliser **where** sans exprimer son antécédent :

> That's where the accident happened (= that's the place at which...).

• **(The time) when.**

When a pour antécédent "**the time**" ou une expression de temps :

> Do you know the time when they arrive?
> Sunday is the day when I can have a rest.

Attention :

On peut utiliser **when** sans exprimer son antécédent.

> It was raining when we arrived (**when** est utilisé comme conjonction).

• **(The reason) why.**

Why a pour antécédent "**the reason(s)**". On peut ne pas exprimer l'antécédent :

> You know (the reason) why I left so early.

• **(The way) how.**

How a pour antécédent "**the way**". On peut ne pas exprimer l'antécédent :

> Do you know (the way) how they do it?

8. Les relatifs se terminant en -ever.

Un certain nombre de relatifs (pronoms et adverbes) sont formés à l'aide du suffixe -ever **(whoever, whichever, whatever, whenever, wherever, however)**. Ils n'ont pas d'antécédent et indiquent un choix dans un nombre illimité.

> I think you're right, whatever the others may say. *(= Je crois que vous avez raison, quoi que les autres disent.)*
> Whoever says that is wrong. *(= Qui que ce soit qui dise cela a tort.)*

Remarque :

On trouve des relatifs formés avec -soever, comme **whomsoever, whatsoever,** etc., qui sont la forme emphatique des relatifs en -ever qui leur correspondent. Ainsi, **whatsoever** est encore plus indéfini que **whatever**. On notera que **whom** ne peut prendre que le suffixe -soever.

C. Les subordonnées relatives

1. Subordonnées relatives définissantes

Elles sont nécessaires à la compréhension du sens de la principale :

> This is the man who wanted to see you.

Dans cet exemple, la subordonnée définit "the man" *(voir A,1)*. La plupart des subordonnées relatives sont définissantes.

2. Subordonnées relatives non-définissantes

Elles apportent un complément d'information. La phrase a toujours un sens, même si l'on omet la relative non-définissante *(voir A,2)* :

> The meeting, which was held in Brighton, was attended by six hundred people.

Une relative non définissante peut être introduite par **who, whom, whose,** ou **which** (mais **pas** par *that*). Elle est entre deux virgules, entre parenthèses ou entre deux tirets.

Attention :

Les relatives non-définissantes appartiennent à la langue « formelle ». Elles sont fréquentes dans la langue écrite. Dans la langue parlée, on préfère utiliser deux propositions indépendantes :

> The meeting was held in Brighton, and it was attended by six hundred people.

3. Subordonnées relatives remplacées par l'infinitif

On peut remplacer un pronom relatif suivi d'un verbe par un infinitif dans certains cas.

- Après un ordinal **(the first, the second,** etc.) ou **the next/the last** :

> John was the first person to come. (= John was the first person who came.)

- Après **the only** :

> We were the only ones to say thank you to her. (= We were the only ones who said thank you to her.)

- Après les superlatifs :
  > It was the most terrible accident to happen this year.
  > (= It was the most terrible accident that happened this year.)

4. Subordonnées relatives remplacées par un participe

On peut remplacer un pronom relatif suivi d'un verbe par un participe (présent ou passé) dans une phrase au présent ou au prétérit.

- Un participe présent (-ing) peut remplacer un pronom suivi d'un verbe actif :
  > People having a British passport should go this way.
  > (= People who have...)
  > Drivers speeding on the motorway were caught.
  > (= Drivers who were speeding...)

- Un participe passé peut remplacer un pronom relatif suivi d'un verbe passif :
  > Instructions given now are to be followed at once.
  > (= Instructions that are given now...)
  > A car bought six years ago is worth nothing today.
  > (= A car that was bought ten years ago...)

42. LES ADJECTIFS QUALIFICATIFS

Un adjectif peut être accolé à un nom et faire ainsi partie du groupe nominal. Dans ce cas, on le dit "épithète". Il peut être relié au nom par un verbe. Dans ce cas, il ne fait plus partie du groupe nominal et on l'appelle "attribut".

A. Généralités

1. Forme

L'adjectif est toujours invariable en genre et en nombre :
  > John is wearing a black jacket and grey trousers. His clothes are nice.
  > He's a good boy. He reads good books.

2. Place

- L'épithète se place avant le nom, même s'il fait partie d'une série :
  > They live in a nice old house.
- L'adjectif se place après le nom :
- — Quand il est « attribut » introduit par un verbe :
  > The weather is fine today.

Le verbe introduisant un attribut peut être sous-entendu :

> All the people (who were) present were pleased.

— Quand l'adjectif est déterminé par un complément :

> He was a man full of new ideas.

— Quand l'adjectif est formé avec le préfixe -a (**alive, alone, asleep, awake,** etc.) :

> Mary was asleep. We saw the picture of a girl asleep

— Quand l'adjectif qualifie un pronom composé comme **something, anything, nothing** :

> I'll show you something new

• Ordre des adjectifs.

Dans une série d'épithètes, celui qui est le plus près du nom est celui qui décrit la qualité considérée comme la plus fondamentale, celle qui distingue le plus le nom de l'ensemble. L'adjectif décrivant la qualité la moins objective (celle qui correspond le plus à l'appréciation personnelle) s'en trouve le plus éloigné :

> He is a very kind, white-haired, old gentleman. (*C'est un vieux monsieur, aux cheveux blancs, très gentil :* les qualités objectives, "old" et "white-haired", sont proches de "gentleman". "Kind" est le plus éloigné du nom parce que « gentil, aimable » est une qualité subjective : tout le monde peut ne pas être d'accord avec cette qualité).

B. La comparaison des adjectifs

1. L'infériorité

• Le comparatif d'infériorité se forme avec **less... (than)** :

> My car is less expensive than yours. (= *Ma voiture est moins chère que la vôtre.*)
> The book is interesting. The film is less interesting. (= *Le film est moins intéressant.*)

• Le superlatif d'infériorité s'exprime avec **the least** :

> That is the least important of our problems. (= *C'est le moins important de nos problèmes.*)

2. L'égalité et l'absence d'égalité

• L'égalité est exprimée à l'aide de **as... as** :

> Peter is as tall as his father. (= *Peter est aussi grand que son père.*)

• L'absence d'égalité est marquée avec **not so... as** ou **not as... as** :

> The weather is not so bad as it was yesterday. (= *Le temps n'est pas aussi mauvais qu'il était hier.*)
> The rain isn't as cold as it was this morning. (= *La pluie n'est pas aussi froide qu'elle était ce matin.*)

3. La supériorité

En ce qui concerne les comparatifs et les superlatifs de supériorité, il faut tenir compte de la longueur des adjectifs. Sont considérés comme courts les adjectifs ne comportant qu'une syllabe (**nice, big, tall,** etc.).

Les adjectifs longs comportent trois syllabes ou plus (**expensive, comfortable, interesting,** etc.). Les adjectifs de deux syllabes sont considérés parfois comme courts, parfois comme longs.

• Cas des adjectifs « courts ».

— Le comparatif de supériorité se forme avec le suffixe **-er.** Le deuxième membre de la comparaison est introduit par **than :**

> Barrie is taller than his father, now. *(= Barrie est plus grand que son père, maintenant.)*

Attention :

L'addition du suffixe -er entraîne quelquefois des modifications orthographiques : **redredder; big-bigger; happy-happier,** etc.

> I'd like a bigger sandwich. *(= Je voudrais un sandwich plus gros.)*

— Le superlatif de supériorité se forme avec **the... -est** (mêmes modifications orthographiques que pour le comparatif) :

> I'll take the cheapest umbrella you've got. *(= Je prendrai le parapluie le moins cher que vous avez.)*

• Cas des adjectifs « longs ».

— Le comparatif de supériorité se forme à l'aide de **more... (than) :**

> I found the book more interesting than the film. *(= J'ai trouvé le livre plus intéressant que le film.)*

— Le superlatif de supériorité s'exprime avec **the most :**

> It's the most expensive car I've ever seen. *(= C'est la voiture la plus chère que j'aie jamais vue.)*

• Cas des adjectifs de deux syllabes.

Un certain nombre d'adjectifs de deux syllabes sont d'ordinaire considérés comme « courts » et prennent **-er/-est** (mais ils peuvent être aussi utilisés avec **more/most**). En voici quelques exemples :

clever	cleverer	the cleverest	quiet	quieter	the quietest
dirty	dirtier	the dirtiest	silly	sillier	the silliest
funny	funnier	the funniest	simple	simpler	the simplest
gentle	gentler	the gentlest	etc.		

La plupart des autres adjectifs de deux syllabes sont considérés comme « longs ». On utilise alors **more/most :**

boring	more boring	the most boring
careful	more careful	the most careful
correct	more correct	the most correct
famous	more famous	the most famous
modern	more modern	the most modern
tiring	more tiring	the most tiring
useful	more useful	the most useful, etc.

Pour d'autres adjectifs de deux syllabes, on utilise soit **-er/est,** soit **more/most : common, handsome, narrow, pleasant, polite, stupid,** etc.

Attention :

On emploie **more/most** avec les adjectifs en -ed même s'ils n'ont qu'une syllabe (**amused, annoyed, bored, surprised, tired,** etc.).

4. Comparatifs et superlatifs irréguliers

Quelques adjectifs ont des comparatifs et des superlatifs irréguliers :

good	better	the best
bad	worse	the worst
far	farther/further	the farthest/the furthest

I am good at maths, but Mary is better than me. *(= Je suis bon en maths, mais Mary est meilleure que moi.)*

5. L'accroissement progressif

L'accroissement progressif *(de plus en plus/de moins en moins)* s'exprime à l'aide de deux comparatifs reliés par **and**.

- Adjectifs courts :

  The days are getting shorter and shorter. *(= Les jours deviennent de plus en plus courts.)*

  The rain is less and less cold. *(= La pluie est de moins en moins froide.)*

- Adjectifs longs :

  Petrol is more and more expensive. *(= L'essence est de plus en plus chère.)*

  She became less and less interested in the book after page 100. *(= Elle devint de moins en moins intéressée par le livre après la page 100.)*

- Cas des comparatifs irréguliers :

  Things are getting better and better. *(= Les choses s'améliorent de plus en plus.)*

6. Le « double comparatif » ou « double progression corrélative » *(plus... plus/moins... moins).*

La structure est **the + comparatif + the + deuxième comparatif** :

The more I see him, the less I like him. *(= Plus je le vois, moins je l'aime.)*

The bigger a house is, the more difficult it is to look after. *(= Plus une maison est grande, plus il est difficile de s'en occuper.)*

The more, the merrier. *(= Plus on est de fous, plus on rit.)*

7. Le comparatif qualificatif

Le comparatif de certains adjectifs est utilisé comme épithète quand il ne correspond qu'à une comparaison implicite de deux éléments :

He lives in the newer part of the town. *(= Il habite dans la partie la plus neuve de la ville.* On considère qu'il n'y a que deux parties récentes dans la ville, la neuve et la moins neuve.)

I took the bigger box. *(= J'ai pris la plus grosse boîte. Il n'y en avait que deux, une grosse et une plus grosse.)*

1. Forme

Un adjectif employé comme nom est toujours précédé de l'article défini **the**, sauf s'il s'agit d'adjectifs désignant la langue d'un pays.

> The French eat a lot of bread.
> The English they speak is not correct.
> She is studying English

2. Emploi

• Un adjectif abstrait peut remplacer un nom abstrait (surtout dans la langue littéraire) :

> The probable never happens. *(= Le probable n'arrive jamais.)*

• Un adjectif concret utilisé avec un verbe au pluriel, tout en restant invariable, désigne la totalité d'un groupe d'individus :

> The rich *(= tous les riches)* ; the poor *(= tous les pauvres).*
> The English are so English !

• Un adjectif concret peut être utilisé comme nom au singulier :

> This is not the green I wanted for the curtains. *(= Ce n'est pas le vert que je voulais pour les rideaux.)*

• Cas des adjectifs de nationalité.

Les adjectifs de nationalité se terminant par -ch, -sh, -ss ou -se sont toujours invariables, même employés comme noms :

> The Japanese are very successful. We should try to learn Japanese. *(Voir aussi 1 ci-dessus.)*

Les adjectifs de nationalité terminés par -an sont invariables comme adjectifs, mais variables comme noms :

> He borrowed American books from the library.
> The Americans like fast-food shops.
> It is said that the Italians are very artistic.
> Italian shoes are well designed.

Voir n° 48, C, 3.

43. LES ADVERBES

A. Les différents types d'adverbes

1. Les adverbes modificateurs
- Adverbes de manière :
  He slowly walked up the path. (= *Il remonta lentement l'allée à pied.*)
- Adverbes de lieu et de temps :
  She got up early and came here. (= *Elle s'est levée tôt et est venue ici.*)
- Adverbes de fréquence :
  Do you often go to the cinema? (= *Allez-vous souvent au cinéma?*)
- Adverbes d'appréciation et d'intensification (qu'on appelle aussi « adverbes de degré » ou « de quantité ») :
  I was very happy to meet you. (= *J'ai été très heureux de vous rencontrer.*)
- Adverbes de mise en relief :
  I can only tell you what I know. (= *Je ne puis vous dire que ce que je sais/Je puis seulement vous dire...*)
- Adverbes modifiant une phrase entière :
  Fortunately, the train was on time. (= *Heureusement, le train était à l'heure.*)

2. Les adverbes interrogatifs
- Adverbes de lieu :
  Where is she going ? (= *Où va-t-elle?*)
- Adverbes de temps :
  When did they come? (= *Quand sont-ils venus?*)
- Adverbes de cause :
  Why are you late? (= *Pourquoi êtes-vous en retard?*)
- Adverbes d'appréciation :
  How old are you? (= *Quel âge avez-vous?*)

3. Les adverbes relatifs *(Voir n° 41, 7)*

4. Les adverbes de comparaison
Is it as difficult as they say it is? (= *Est-ce aussi difficile qu'on le dit?*)

5. Les adverbes d'affirmation, de négation et de doute
- Affirmation : He was indeed very glad to hear the news. (= *Il fut vraiment très content d'apprendre la nouvelle.*)
- Négation : I have never been abroad. (= *Je ne suis jamais allé à l'étranger.*)
- Doute : Perhaps that is the best they can do. (= *Peut-être est-ce le mieux qu'ils puissent faire.*)

6. Les adverbes de liaison

I don't like this car and moreover it's expensive. *(= Je n'aime pas cette voiture et de plus elle est chère.)*

7. Les adverbes prépositionnels

John wasn't in = John wasn't in the house. *(= John n'était pas là.)*

8. Les locutions adverbiales

We go to the theatre from time to time. *(= Nous allons au théâtre de temps en temps.)*

B. La forme des adverbes

1. Adverbes sans forme particulière

• La plupart des adverbes de temps et de lieu : **here, there, back, now,** etc.

I'll come back soon. *(= Je reviendrai bientôt.)*

• Certains adverbes de fréquence comme **often, seldom,** ou **ever** :

He seldom writes to us. *(= Il nous écrit rarement.)*

• Certains adverbes d'appréciation et d'intensification comme **very, so, rather, too,** etc. :

It's too hot to work. *(= Il fait trop chaud pour travailler.)*

2. Adverbes ayant la même forme que des adjectifs

• Certains adverbes de temps comme **late** ou **early** :

We'll have to get up early tomorrow morning. *(= Nous devrons nous lever tôt demain matin.)*

• Un certain nombre d'adverbes de manière (**loud, quick, fast,** etc.) :

Don't talk so loud ! *(= Ne parlez pas si fort!)*

3. Formation dérivée des adverbes *(Voir n° 48, B, 3)*

4. Adverbes composés

• Adverbe + adverbe :

wherever, whenever, however, henceforward *(à partir de maintenant)*...

• Indéfini + **how/way,** indiquant la manière :

somehow, anyhow, anyway, etc.

• Indéfini + **where,** indiquant le lieu :

somewhere, anywhere, nowhere, everywhere, etc.

C. La position de l'adverbe dans la phrase

1. Adverbe en tête de phrase

On peut placer en tête de phrase, mais ce n'est pas obligatoire

- des adverbes ou locutions adverbiales de temps et de lieu :
                Yesterday we went to town.
                Here it is. There you are.
- des adverbes de fréquence :
                Usually, I finish work at 5 o'clock.
- des adverbes modifiant une phrase entière :
                Perhaps it will rain.

Attention :
D'autres adverbes peuvent se trouver en tête de phrase dans la forme emphatique *(voir n° 47, A2).*

2. Adverbe au milieu de la phrase

Ce que l'on appelle "le milieu de la phrase" est en fait la position entre le sujet et le verbe au présent simple ou au prétérit simple, et entre l'auxiliaire et le verbe aux autres temps ou types de conjugaison :
                We often go to London. Do you often go to Paris?
                He first heard about it last week.
                I don't really like beer.
                They have never been to Switzerland.
On place au milieu de la phrase
- la plupart des adverbes de fréquence :
                They rarely go to bed before midnight.
- quelquefois des adverbes de manière :
                John had slowly opened his eyes.
- certains adverbes d'appréciation et d'intensification :
                I slipped and almost fell.
- parfois quelques adverbes de temps :
                She has just arrived.
- quelquefois des adverbes modifiant une phrase entière :
                I'll certainly come tomorrow.

3. Adverbe en fin de phrase

En fin de phrase, l'adverbe se place après le verbe, s'il n'y a pas d'objet direct, ou après l'objet direct. Un adverbe ne doit pas séparer un verbe de son objet direct :
                They walked slowly.
                Mary plays the violin very well.
Quand il y a plusieurs adverbes (ou locutions adverbiales) en fin de phrase, l'ordre normal est manière + lieu + temps :
                Peter worked very well at school last year.
Cet ordre normal est quelquefois modifié, notamment dans le cas des locutions adverbiales (on met la plus longue à la fin de la phrase) :
                We lived for a few years in a beautiful little village.
En fin de phrase, un adverbe de fréquence se place d'ordinaire après un adverbe (ou locution adverbiale) de lieu :
                They go to the theatre frequently.
Un adverbe modifiant une phrase entière se place habituellement en fin de phrase, quelquefois après une virgule :
                We'll see you tomorrow in London, perhaps.

On place en fin de phrase
- les adverbes de manière :
  > Mary opened the parcel carefully
- quelquefois des adverbes (ou locutions adverbiales) de temps ou de lieu :
  > John will give you a ring tomorrow
  > It's very hot (in) here.
- certains adverbes d'appréciation/d'intensification :
  > It doesn't matter very much.
- parfois des adverbes de fréquence :
  > I don't go to Paris very often.
- quelquefois des adverbes modifiant une phrase entière :
  > He didn't do it on purpose.

D. La comparaison des adverbes

En principe, les adverbes suivent les mêmes règles que les adjectifs *(voir n° 42, B)*.

1. Comparatifs et superlatifs réguliers
- Le comparatif et le superlatif de supériorité des adverbes en -ly se forment avec **more** et **most** (sauf **early**) :
  > Can you speak more slowly, please?
  > Peter was the one who spoke the most naturally.
- Les adverbes ayant la même forme que les adjectifs forment leur comparatif et leur superlatif avec -er/est :
  > Please come at your earliest convenience.
  > I can't drive faster.

2. Comparatifs et superlatifs irréguliers

well	better	the best
badly	worse	the worst
far	further/farther	the furthest/the farthest
near	nearer	the next

E. Place des adverbes

1. Les adverbes de manière
La plupart des adverbes en -ly sont des adverbes de manière. Parmi les autres, le plus employé est certainement **well** qui correspond à l'adjectif **good**.
Les adverbes de manière se placent d'ordinaire en fin de phrase (mais jamais entre le verbe et son objet direct) :
> John studied the book carefully.

On peut cependant trouver un adverbe de manière en milieu de phrase, si l'on ne veut pas spécialement attirer l'attention sur lui :

> John carefully studied the book (simple constatation du fait, sans attirer l'attention spécialement sur la manière).

Dans la langue écrite, on trouve assez souvent un adverbe de manière en tête de phrase. Il se trouve ainsi mis en relief et par un effet de style, semble tenir un peu le lecteur en haleine :

> Carefully, John studied the book (on se demande ce qui a été fait "soigneusement").

2. Les adverbes de lieu et de temps

Les adverbes (ou locutions adverbiales) de lieu et de temps se placent d'ordinaire soit au début, soit à la fin de la phrase :

> I saw Peter yesterday. Yesterday, I saw Peter.
> They learn how to read at school. At school they learn how to read.

Quelques adverbes de temps peuvent se placer au milieu de la phrase (**soon, already, now, then, just,** par exemple) :

> We have just arrived.

Attention :

On peut faire varier la place d'un adverbe de temps pour éviter une ambiguïté ou pour donner un sens légèrement différent à la phrase :

> Soon she decided to leave. *(= Il se passa peu de temps avant qu'elle ne décide de partir.)*
> She soon decided to leave. *(= Cela lui prit peu de temps pour se décider...)*
> She decided to leave soon. *(= Elle décida de ne pas rester beaucoup plus longtemps.)*

3. Les adverbes de fréquence

Ils se placent d'habitude en milieu de phrase :

> We never work on Sundays.
> Have you ever been to Scotland ?

Les locutions comme **again and again, time and again, from time to time, now and then, now and again, a few times** se placent d'ordinaire en fin de phrase :

> His relatives visit him from time to time

Sometimes, usually, occasionally ou **normally** peuvent se placer en tête ou en fin de phrase :

> Sometimes we watch the news on TV.
> We watch the news on TV sometimes

Often peut se trouver en fin de phrase :

> He doesn't work very often.

Les adverbes de fréquence, donnant un nombre exact de fois où l'action se produit, se placent d'ordinaire en fin de phrase :

> John goes to London three times a week.

Voici une liste de ces adverbes :

Once, twice, three times, four times, etc.
Once, twice, etc. **a day, a week, a month, a year,** etc.
Every, each hour, day, week, month, year, etc.

Hourly, daily, weekly, fortnightly, monthly, yearly (qui ont la même forme que les adjectifs qui leur correspondent, voir E6).

4. Les adverbes d'appréciation et d'intensification

• Modification d'un adjectif ou d'un autre adverbe. L'adverbe d'appréciation ou d'intensification se place avant l'adjectif ou l'adverbe qu'il modifie :

> This cake is very good.
> You're driving too fast.
> Why do they walk so slowly?

Attention :

Enough se place après l'adjectif ou l'adverbe qu'il modifie :

> This box is not big enough.

L'adverbe d'appréciation ou d'intensification le plus fréquent est certainement **very** *(= très)*. En voici une liste d'autres, classés par ordre d'intensité dans des exemples :

> He is little known. *(= Il est peu connu.)*
> This book is a little/a bit expensive. *(= Ce livre est un peu cher — "a bit" est familier.)*
> She wants a fairly large car. *(= Elle veut une voiture assez grande — c'est-à-dire pas petite, mais pas trop grande.)*
> It's rather cold today. *(= Il fait plutôt froid aujourd'hui.)*
> He's quite a good player. *(= C'est un assez bon joueur — sens n° 1 de "quite", signifiant "plus ou moins", "dans une certaine mesure".)*
> That's pretty good. *(= C'est assez bon. "Pretty" est familier.)*
> John speaks particularly slowly. *(= John parle particulièrement lentement.)*
> This is quite impossible. *(= C'est tout à fait impossible — sens n° 2 de "quite", signifiant "complètement", "entièrement".)*
> They are completely/totally wrong. *(= Ils ont complètement/totalement tort.)*

Attention :

Le sens de **fairly, quite** et **rather** peut changer selon l'intonation, par exemple :

> He's quite **nice**. (= I like him.)
> He's **quite** nice. (= He's all right, but I'm not really enthusiastic about him.)

• Modification d'un comparatif.
Much, a lot, rather, a bit/a little, any, no peuvent modifier un comparatif et se placent devant lui :

> He is working a little harder than before.
> This is much more difficult than I thought it would be.
> He is no better at golf than at swimming!

• Modification d'un verbe.
Lorsqu'il modifie un verbe, l'adverbe d'appréciation ou d'intensification se place en milieu de phrase :

> She is just coming through the door.
> I almost fell under a moving car.
> They had completely forgotten about it.

Attention :
Much, a lot, a bit/a little se placent en fin de phrase lorsqu'ils modifient un verbe :
> I didn't like the play very much.
> Peter worked a little.

5. Les adverbes de mise en relief
• Dans la langue parlée, **only** se place le plus souvent en milieu de phrase, quel que soit l'élément qu'il modifie. On fait la différence grâce à l'intonation :

> We can only take three of you in our car.

• Dans un style plus soutenu, **only** se place devant l'élément qu'il modifie :

> We can take only three of you in our car.

• Dans la langue écrite officielle (annonces et pancartes, par exemple), **only** se place après l'élément modifié :

> (Car Park). For Patrons Only. *(= Parking réservé aux clients.)*

• **Even** (= *même*) se place d'ordinaire en milieu de phrase dans la langue parlée, et devant l'élément modifié dans un style plus soutenu :
— langue parlée :

> They even take the cat on holiday with them.

— style plus soutenu :

> They take the cat even on holiday with them.

• Quand **only** ou **even** modifient le sujet, ils se placent avant lui :

> Even a child can understand this book.
> Only you can do it.

Attention :
La mise en relief du sujet peut se faire avec **alone** :
> You alone can do it.

6. Les adverbes ayant la même forme que les adjectifs
• **Deep, early, fast, hard, high, late, long, low** et **near** sont à la fois adjectifs et adverbes :

> Mary was late this morning (adjectif).
> She arrived late this morning (adverbe).

• **Hourly, daily, weekly, monthly** et **yearly** sont aussi à la fois adjectifs et adverbes :

> The *Times* is a daily newspaper (adjectif).
> Most newspapers appear daily (adverbe).

Attention :

Hardly, highly, lately et nearly sont des adverbes ayant un sens différent de hard, high, late et near : hardely/nearly = almost; highly = very; lately = recently.
Most a la même forme qu'un quantificateur, et mostly a un sens différent : mostly = mainly/usually :

> He was most polite to me. (= He was very polite to me.)
> We are mostly out on Sundays. (= We are generally out on Sundays.)
> We are not at home on most Sundays. (= We are not at home on almost all Sundays.)

7. Emploi de yet, still, already, no (not any) longer, et no (not any) more

• On utilise **yet** dans les phrases négatives ou interrogatives, pour parler de quelque chose que l'on attend. **Yet** se place en fin de phrase :

> Has John arrived yet ? He has not arrived yet.

• **Still** sert surtout à parler de quelque chose qui dure plus longtemps que l'on s'y attendait, dans des phrases affirmatives ou interrogatives. **Still** se place en milieu de phrase :

> John is still at work.
> Do you still go to London every weekend?

On peut aussi utiliser **still** dans des phrases négatives en le plaçant juste après le sujet :

> It's six o'clock. Peter still isn't back. *(= Il est six heures. Peter n'est toujours pas revenu — cela m'inquiète.)*

• **Already** (= *déjà*) est surtout utilisé dans des phrases affirmatives ou interrogatives. **Already** se place d'ordinaire en milieu de phrase, mais on peut le mettre en fin de phrase pour insister :

> I had already gone when Richard arrived.
> Have you finished your work already?
> Are you leaving already? *(= Je suis surpris que vous partiez déjà.)*

On peut utiliser **already** en fin de phrase négative pour marquer la surprise :

> You're not leaving us already, are you?

• **No longer** a un sens négatif et se place en milieu de phrase. **No longer** appartient à la langue un peu formelle :

> Mrs Perry no longer lives here. *(= Mme Perry n'habite plus ici.)*

Dans la langue courante, on utilise plutôt **not... any longer/more,** en fin de phrase :

> Mrs Perry doesn't live here any longer/any more.

44. LES PREPOSITIONS

Les prépositions mettent en évidence les rapports, les relations entre les choses, les personnes ou les événements. Ces rapports peuvent être dans l'espace ou dans le temps. Ils peuvent aussi être de but, de résultat, de possession, etc.

A. Structures

1. Préposition + nom (ou groupe nominal)/pronom
- Préposition + nom :
  > There's a book on the table.
- Préposition + pronom :
  > He was standing in front of me.
- Préposition + groupe nominal :
  > They are talking about John's big red car.

2. Préposition + -ing
- Exemples :
  > He earns his living by writing novels.
  > I can't speak English without making mistakes.
  > We are looking forward to hearing from you.

- **To + -ing.**

Pour savoir si **to** fait partie d'un infinitif ou s'il s'agit d'une préposition, il suffit de mettre **it** après **to.** Si la phrase conserve son sens, **to** est préposition :
  > We were used to reading a lot. (We were used to it : la phrase conserve son sens ; "to" est préposition.)
  > He used to read books. (He used to it : la phrase perd son sens ; "to" fait partie d'un infinitif.)

Voici quelques expressions dans lesquelles to est préposition et doit être suivi d'une forme en -ing :
to be used to ; to be accustomed to ; to look forward to ; to be reduced to ; to resign oneself to ; etc.

3. Préposition en fin de phrase
Les prépositions font parfois corps avec le verbe **(to look at ; to listen to,** etc.). Dans certains cas, ces prépositions se trouvent en fin de phrase et non plus devant le nom (ou le groupe nominal). C'est ce que l'on appelle souvent le "rejet de la préposition". Cela se produit
- dans des subordonnées relatives :
  > Here is the book (that) you asked for.
  > These are the people (whom) I work with.

- dans les phrases interrogatives :
  > What are you looking at ?
  > Where do they come from ?

• dans le discours indirect :
> He asked me what bus I was waiting for.
> John told me what you were talking about.

B. Les différentes prépositions

1. Les prépositions de lieu et de mouvement :
On fait souvent la distinction entre les prépositions "statiques" (qui indiquent une présence sans mouvement) et les prépositions "dynamiques" (qui indiquent un déplacement quelconque) :
> He's sitting on a chair (statique).
> Mary is going to school (dynamique).

Dans de nombreux cas cependant, une même préposition peut être utilisée avec des verbes "statiques" ou "dynamiques" :
> The bus went round the corner (indication de mouvement).
> They are sitting round the table (pas de mouvement).

• Les principales prépositions de lieu et de mouvement.
— par rapport à un point, un lieu précis : **around ; at ; by ; down ; from ; in ; past ; round ; through ; to ; towards ; up ; away from.**

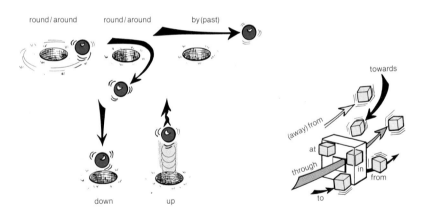

— par rapport à une surface : **across ; on ; off ; on to.**

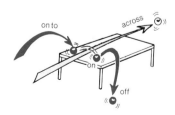

— par rapport à un volume : **behind; inside; into; outside; out of; in front of.**

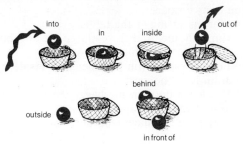

— par rapport aux positions relatives de deux ou plusieurs objets : **above; below; over; under; opposite; near; next to; by; beside; against; between; among.**

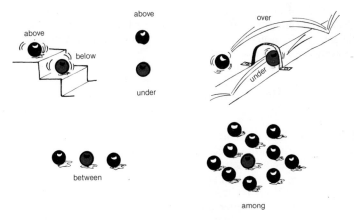

The shoeshop is *opposite* the grocery.
The bookshop is *next to* the grocery.

We are *near* (= not far from) the shops.
The butcher's shop is *across* the street from the bookshop.

John is leaning *against* the wall.

He is sitting *next to* her. She is sitting *by* him.
He is sitting *beside* her.

91

• Emploi de **at** et de **in**.

On utilise **at** pour donner une position, dire où l'on est, sans donner trop de précision dans l'espace :

> Mary is sitting at the table.
> I'm at home, and the children are at school.
> We live at 45 Manchester Avenue.

In est plus défini dans l'espace (on peut penser à **inside**) :

> John is in the garden.
> I've got a book in my bag.
> They live in Birmingham.
> Is there a language laboratory in this school?

Attention :

Le choix entre **at** et **in** est parfois problématique lorsqu'il s'agit de noms de villes ou de villages, surtout avec le verbe **arrive** :

> The train arrives at London (on pense à la gare).
> We arrived in London yesterday (on pense à la ville).

• Emploi de **at** et de **to**.

At décrit le point final du mouvement (la cible), alors que **to** suggère le déplacement, le mouvement. Par un glissement de sens, **at** suggère une agression, et **to** une coopération :

> He threw the ball at me (= *il m'a lancé la balle* — en me visant, avec l'intention de me faire mal).
> He threw the ball to me (= *il m'a lancé la balle* — gentiment ; il m'a fait une passe).

2. Les prépositions de temps

• Indication d'un point précis ou d'un moment dans le temps.

At sert à indiquer une heure :

> I'll see you at 9 o'clock.
> Your train leaves at 10.15.

On est utilisé pour indiquer un jour ou une date :

> They arrived on Tuesday.
> I'll be in London on March 23rd.

Avec **in**, on indique un moment de la journée, un mois, une saison ou une année :

> We get up early in the morning.
> It sometimes snows here in February.
> These plants have blue flowers in summer.
> Charles Dickens was born in 1812 and he died in 1870.

• Indication d'un moment par rapport à un autre moment ou à une période.

Before *(= avant)* et **after** *(= après)* :

> I hope you'll be back before Wednesday.
> They usually watch TV after dinner.

Attention :

Before et **after** peuvent aussi être utilisés comme conjonctions (voir n° 46). Toutefois, lorsqu'ils sont employés comme prépositions, ils sont suivis d'une forme en -ing :

> She visited her parents before leaving.
> He went out after finishing his work.

By (= not later than) :

> Be here by 5 o'clock. (= *Soyez ici à 5 heures*, mais pas plus tard.)

From... to (= *de... à*) :

> The shop is open from Monday to Saturday, from 9 in the morning to 5 in the afternoon.

To et **past** (pour donner l'heure) :

> It's five to ten. (= *Il est dix heures moins cinq.*)
> It's half past six. (= *Il est six heures et demie.*)

Till et **until** (= *jusqu'à*) .

> We'll stay here till/until next Tuesday.

Remarque :

Till et **until** peuvent s'utiliser avec **from** :

> The bank will be open from 9 in the morning till/until 3 in the afternoon.

Since sert à préciser le point de départ d'une action passée qui se prolonge (ou dont les effets se prolongent) dans le présent. Il s'agit du rapport entre un moment précis du passé et la période qui a suivi jusqu'au moment présent. **Since** entraîne donc l'emploi d'un verbe au "present perfect" simple ou progressif :

> We've been living here since 1975. (= *Nous habitons ici depuis 1975.*)
> I haven't seen John since Christmas. (= *Je n'ai pas vu John depuis Noël.*)

• Indication d'une durée, d'une période.

In exprime la durée du temps nécessaire pour faire quelque chose, ou la durée qui sépare le moment présent d'une action future :

> She did her homework in two hours.
> I'll be leaving for England in three days.

During sert à indiquer une période pendant laquelle une ou plusieurs actions se produisent (ou se sont produites), mais pas forcément pendant toute la période :

> He died during the war. (= *Il est mort pendant la guerre.*)
> The sun gives us light during the day. (= *Le soleil nous donne de la lumière pendant la journée.*)

For sert à indiquer la période pendant laquelle une action s'est déroulée, se déroule ou se déroulera :

> We haven't seen him for several years. (= *Nous ne l'avons pas vu depuis plusieurs années.*)
> He worked for three hours. (= *Il a travaillé pendant trois heures.*)
> Mary's going to the USA for six months. (= *Mary va aux USA pour six mois.*)

3. Les autres prépositions

Elles expriment de nombreux types de relations (but, manière, possession, etc.). Nous distinguerons les prépositions simples des prépositions composées (ou "locutions prépositives") en deux listes alphabétiques.

- Prépositions simples.

About *(= au sujet de, concernant, à propos de)* :
>I bought a book about horses. *(= J'ai acheté un livre sur les chevaux.)*
>What are you talking about? *(= De quoi parlez-vous?)*
>They're worried about John. *(= Ils sont inquiets au sujet de John.)*

Against marque l'opposition :
>He's against capital punishment. *(= Il est contre la peine capitale.)*

At peut servir à indiquer une réaction émotive ou un degré de capacité :
>I was surprised at the news. *(= La nouvelle m'a surpris.)*
>Bill is good at maths, but very bad at English. *(= Bill est bon en maths, mais très mauvais en anglais.)*

But/except marquent l'exception (**except** est plus fréquent que **but**) :
>They're all wrong but me. *(= Ils ont tous tort sauf moi.)*
>They're all wrong except me.

By sert à indiquer le moyen, la manière, l'agent (ou l'auteur) :
>We'll go to London by train. *(= Nous irons à Londres en train.)*
>He was paid by the hour. *(= Il était payé à l'heure.)*
>She earns her living by writing novels. *(= Elle gagne sa vie en écrivant des romans.)*
>Hamlet was written by Shakespeare. *(= Hamlet a été écrit par Shakespeare.)*
>I read *Jane Eyre,* a novel by Charlotte Brontë. *(= J'ai lu* Jane Eyre, *un roman de Charlotte Brontë.)*

For permet d'exprimer le but, la destination, l'approbation (contraire de **against**), l'appréciation :
>Let's go for a walk. *(= Allons nous promener à pied.)*
>This is the train for Glasgow. *(= C'est le train à destination de Glasgow.)*
>They are for capital punishment. *(= Ils sont pour la peine capitale.)*
>Here's a letter for you. *(= Voici une lettre pour vous.)*
>It's too difficult for me. *(= C'est trop difficile pour moi.)*

Like est préposition de manière ou de comparaison :
>Don't talk like that. *(= Ne parlez pas comme cela.)*
>It fits him like a glove. *(= Cela lui va comme un gant.)*
>Like her mother, she's a good cook. *(= Comme sa mère, elle est bonne cuisinière.*

Of sert à décrire de nombreuses relations, notamment la possession, la matière, la quantité, la qualité :

He broke the leg of the chair. *(= Il a cassé le pied de la chaise.)*

She was wearing a beautiful dress (made) of the finest silk. *(= Elle portait une robe de très belle soie.)*

I drank a glass of water. *(= J'ai bu un verre d'eau.)*

It's very kind of you. *(= C'est très gentil de votre part.)*

Out of marque la fin de la possession, l'origine, ou la cause :

She was out of breath. *(= Elle était hors d'haleine.)*

We are out of food. *(= Nous n'avons plus de nourriture.)*

I drank out of a bottle. *(= J'ai bu à la bouteille.)*

John got ten out of twenty. *(= John a eu dix sur vingt.)*

They built a hut out of a few planks. *(= Ils ont construit une cabane avec quelques planches.)*

We helped him out of pity. *(= Nous l'avons aidé par pitié.)*

With sert à indiquer la manière, l'instrument, l'accompagnement, l'approbation ou la possession :

I say so with regret. *(= Je le dis à regret.)*

He cut the rope with a knife. *(= Il a coupé la corde avec un couteau.)*

Peter is playing with the other children. *(= Peter joue avec les autres enfants.)*

Don't worry, we are with you. *(= Ne vous inquiétez pas, nous sommes avec vous/nous vous soutenons.)*

I met a girl with long hair. *(= J'ai rencontré une fille aux cheveux longs.)*

Without est le contraire de **with** :

She answered without hesitation. *(= Elle a répondu sans hésitation.)*

He walks without a stick. *(= Il marche sans canne.)*

They went without you. *(= Ils sont partis sans vous.)*

• Prépositions composées ("locutions prépositives").
Voici une liste alphabétique des plus courantes.

According to *(= selon; d'après)* :

According to Jane, it's too easy. *(= D'après Jane, c'est trop facile.)*

Because of *(= à cause de)* :

I can't walk because of my broken leg. *(= Je ne peux pas marcher à cause de ma jambe cassée.)*

In front of *(= devant)* :

Bill was standing in front of me. *(= Bill était debout devant moi.)*

In spite of *(= en dépit de; malgré)* :

We went out in spite of the rain. *(= Nous sommes sortis malgré/en dépit de la pluie.)*

Instead of *(= au lieu de)* :

> Molly watched TV instead of working. *(= Molly a regardé la télé au lieu de travailler.)*

On behalf of *(= au nom de; de la part de; pour)* :

> I come on behalf of Mr Smith. *(= Je viens de la part de M. Smith.)*

Owing to (= **because of**) :

> Owing to the rain, the football match has been cancelled. *(= A cause de la pluie, le match de football a été annulé.)*

C. *Le choix des prépositions*

Il est souvent difficile de choisir la préposition qui convient après tel verbe ou tel adjectif. La seule solution est d'essayer d'apprendre le verbe avec la préposition qui le suit d'ordinaire, ou l'expression courante avec sa préposition.

1. Verbe + préposition *(voir n° 45)*

2. Expressions courantes contenant des prépositions

Voici une liste des plus courantes.

At

at breakfast/lunch/dinner, etc.	at school
at ease	at sea
at first	at the theatre/the cinema, etc.
at home	at one time
at last	one at a time
at least	at times
at once	at the same time
at present	at war
at any rate	at work

By

by accident	by heart
by air	by no/any means
by all means	by myself/yourself, etc.
by bus/car/train, etc.	by order
by chance	by surprise
by degrees	by the way
by force	

For

for ever/forever	for Heaven's sake
for example	for sale
for instance	for the time being
for the sake of...	

In

in doors/indoors	in practice
in difficulty/difficulties	in particular
in fact	in stock
in fashion	in theory
in haste	in time
in hospital	in turn/turns
in a hurry	in use
in love	in vain
in order	in a way

On

on (the) average	on the job
on business	on the other hand
on the contrary	on purpose
on fire	on time
on foot	on the way
on holiday	on the whole

Out of

out of bounds	out of order
out of breath	out of practice
out of control	out of all proportion
out of danger	out of the question
out of date	out of sight
out of doors	out of turn
out of fashion	out of use
out of interest	

To

to go...	to prison
to church	to sea
to court	to school
to hospital	to war

Diverses prépositions

from now on	up to date
off the record	up to now
under the circumstances	with interest/luck, etc.
under repair	without doubt
under way	

3. Adjectif + préposition

Voici une brève liste alphabétique d'adjectifs suivis des prépositions qui conviennent.

Afraid of	Don't be afraid of me.
Angry with	I'm angry with you.
Angry at	He got angry at the children.
Aware of	Are you aware of the problem?
Bad at	I'm very bad at maths.
Bad for	Smoking is bad for your health.
Clever at	She's clever at finding excuses.
Contrary to	The result was contrary to expectation.
Different from	Your ideas are different from mine.
Eager for	They're eager for success.
Eager to	I'm eager to succeed.
Fed up with (familier)	I'm fed up with your grumbling.
Fond of	John is very fond of dogs.
Full of	This bottle is full of water.
Good at	She's very good at maths.
Good for	Milk is good for you.
Interested in	He's not interested in his work.
Keen on	The boss wasn't very keen on my idea.
Married to	She's married to a Frenchman.
Pleased about	Are you pleased about your job?
Pleased with	I was very pleased with your present.
Proud of	He seems proud of himself.
Satisfied with	We're satisfied with your progress.
Separate from	The garage is separate from the house.
Sorry about	I'm very sorry about it.
Sorry for	He's sorry for his bad behaviour.
Tired of	I'm tired of answering stupid questions!
Worried about	We're worried about Kevin.

45. LES VERBES COMPOSES ET SEMI-COMPOSES

Il existe toute une catégorie de verbes suivis de particules. On parle de "verbe composé" si la particule est un adverbe, et de "semi-composé" si la particule est une préposition. Les grammairiens anglais parlent souvent de phrasal verbs *(verbe + adverbe), de* prepositional verbs *(verbe + préposition) et de* phrasal-prepositional verbs *(verbe + adverbe + préposition). La difficulté de compréhension du sens de ces verbes provient du fait que le résultat d'une combinaison entre verbes et particules a souvent un sens différent de celui de chacun des éléments pris séparément.*

A. Remarques générales

1. Importance des verbes composés et semi-composés
Ces verbes sont très fréquemment utilisés par les anglophones à la fois dans la langue parlée et dans la langue écrite.
Très souvent, les verbes composés ou semi-composés ont un équivalent simple d'origine latine ou grecque :
> to give up = to abandon; to leave out = to omit, etc.

Dans la langue courante, les anglophones ont tendance à ne pas utiliser le verbe simple qui paraît trop recherché.
En changeant de catégorie grammaticale, les verbes composés et semi-composés deviennent des noms et des adjectifs très souvent utilisés :
> a breakthrough; an outburst; a standby position; etc.

2. Compréhension de ces verbes
• Parfois, il est facile de comprendre le sens d'un verbe composé ou semi-composé d'après le sens des éléments de la combinaison :
> John came back and sat down.
> He took off his coat.

• Quelquefois, le verbe a un sens bien particulier, qu'il faut apprendre :
> Peter gave up smoking. *(= Peter a arrêté de fumer.)*
> I can't make it out. *(= Je n'y comprends rien; je n'arrive pas à en saisir le sens.)*

• Un même verbe composé ou semi-composé peut avoir plusieurs sens :
> He made up the whole story. *(= Il a inventé toute l'histoire.)*
> She made up a parcel and sent it to me. *(= Elle a fait un colis et me l'a envoyé.)*
> The group was made up of doctors and teachers. *(= Le groupe était composé de docteurs et de professeurs.)*
> Did you make up your mind? *(= Vous êtes-vous décidé?)*

1. Les verbes composés (verbe + adverbe)
• Verbes intransitifs (sans complément d'objet).
L'ordre des mots est verbe + adverbe (structure très courante pour les verbes de mouvement) :

> Molly went away for two weeks.
> Stand up!
> We set off to go to the beach. *(= Nous sommes partis pour aller à la plage.)*

• Verbes transitifs (avec un complément d'objet).
— L'objet est un pronom. L'ordre des mots est alors verbe + pronom (complément) + adverbe :

> John slipped and fell, but he picked himself up
> *(= John a glissé, est tombé, mais il s'est relevé.)*
> Where are the plates? I took them away.

— L'objet est un nom. L'ordre des mots peut être verbe + nom (complément) + adverbe ou verbe + adverbe + nom (complément) :

> I took the plates away/I took away the plates.

D'une manière générale, on préfère utiliser la structure verbe + nom (complément) + adverbe avec
— des noms courts et simples :

> You should look the word up in a dictionary.

— des noms propres :

> I'll pick Mary up outside the station.

— des pronoms indéfinis :

> They left nothing out.

Par contre, on utilisera plutôt la structure verbe + adverbe + nom (complément) avec
— un complément long :

> The police picked up the man they wanted outside the station.

— plusieurs compléments :

> Bring up my suitcase, but not my bags.

2. Les verbes semi-composés (verbe + préposition)
Ils ont toujours un complément d'objet et l'ordre des mots est verbe + préposition + complément d'objet :

> I'm listening to the radio.
> He lost his key and wasted ten minutes looking for it.
> Look at them!

3. Les verbes suivis de deux particules (verbe + adverbe + préposition)
L'ordre des mots est verbe + adverbe + préposition + complément d'objet :

> He always gets away with it! *(= Il s'en tire toujours; il ne se fait jamais prendre.)*
> We'll have to make up for lost time. *(= Il nous faudra rattraper le temps perdu.)*

1. Prépositions

After; against; at; for; from; into; like; to; with et **without** sont toujours des prépositions. On ne les trouve qu'avec des compléments d'objet *(voir B,2)*.

2. Adverbes

Away; back; forward et **out** sont toujours des adverbes.

3. Prépositions/adverbes

La plupart des autres particules peuvent être soit des prépositions, soit des adverbes. C'est le cas de **about; across; along; around; before; behind; by; down; in; off; on; over; round; through; under** et **up**.

Il y a plusieurs moyens de distinguer l'adverbe de la préposition.

• S'il s'agit d'un adverbe, le complément d'objet peut se placer avant ou après la particule :

> Peter put on his hat. He put his hat on.

Lorsqu'il s'agit d'une préposition, le complément d'objet vient obligatoirement après elle :

> Get off the grass.

On peut alors faire la différence :

> I got off the bus (**off** est préposition).
>
> I got off my gloves (**off** est adverbe. Je pourrais dire "I got my gloves off").

Cette liste n'est pas complète. On ne trouvera que des verbes fréquemment utilisés, regroupés selon les prépositions qui les suivent.

About

be about go about joke about	speak about talk about	think about worry about

After

look after	run after	take after

Against

be against go against	protest against react against	warn against

At

arrive at	look at	peer at
guess at	peep at	stare at
get at		

For

account for	fall for	prepare for
apologize for	long for	provide for
ask for	look for	search for
beg for	make for	vote for
call for	pay for	wait for
charge for		

From

be from	differ from	refrain from
borrow from	escape from	suffer from
come from	keep from	

In

believe in	indulge in	invest in
delight in	be interested in	persist in

Into

break into	look into	see into
get into	run into	turn into
go into		

Of

approve of	disapprove of	taste of
beware of	dream of	suspect of
consist of	get rid of	think of
despair of	smell of	tire of

On

act on	experiment on	live on
be based on	decide on	rely on
comment on	depend on	work on
concentrate on		

To

amount to	listen to	see to
apply to	look forward to	submit to
attend to	object to	be used to
belong to	react to	talk to
compare to	reply to	turn to

With

agree with	cope with	part with
begin with	fight with	quarrel with
communicate with	interfere with	be satisfied with
comply with		

E. Verbes suivis d'un adverbe (verbes "composés")

La liste serait trop longue, puisqu'un même verbe simple peut être suivi de diverses particules adverbiales. Par exemple :

To call

To call back : Call him back! *(= Rappelez-le!)*

I'll call back for it. *(= Je repasserai le prendre.)*

To call in : He called the children in. *(= Il fit rentrer les enfants.)*

Call in the doctor! *(= Appelez le docteur!)*

The Government called in all gold coins.
(= Le gouvernement a retiré toutes les pièces d'or de la circulation.)

To call off : They called off the strike. *(= Ils ont annulé l'ordre de grève.)*

Call off your dog! *(= Rappelez votre chien!)*

To call on : The policeman called me on. *(= L'agent de police m'a donné l'ordre d'avancer.)*

To call out : They called out the firemen. *(= Ils ont appelé les pompiers.)*

The union has called out the miners. *(= Le syndicat a appelé les mineurs à la grève.)*

To call up : I'll call you up from the airport. *(= Je vous téléphonerai de l'aéroport.)*

These photos call up the past. *(= Ces photos évoquent le passé.)*

If the war breaks out, we'll be called up at once.
(= Si la guerre éclate, nous serons appelés immédiatement au service militaire.)

Voici une liste des verbes les plus courants, avec leur sens.

Be up to : What is he up to now? *(= Qu'est-ce qu'il mijote maintenant?)*
He's up to the job. *(= Il est à la hauteur de l: tâche.)*
It's up to you to decide. *(= C'est à vous de décider; c'est votre affaire.)*

Black out of : He tried to back out of his bargain. *(= Il a essayé de revenir sur sa parole, de se retirer du marché qu'il a fait.)*

Break in on : She broke in on our conversation. *(= Elle a interrompu notre conversation.)*

Carry on with : Carry on with your work. (= *Continuez votre travail.*)

Catch up with : He's got to work hard to catch up with the rest of the class. *(= Il lui faut travailler dur pour rattraper le reste de la classe.)*

Come in for : We came in for a scolding. *(= Nous avons reçu/nous nous sommes attiré une réprimande.)*

Come out with : He came out with a remark. *(= Il laissa échapper une observation.)*

Do away with : They have done away with this practice. *(= Ils ont aboli cet usage.)*

Fall in with : Did she fall in with your suggestion? *(= A-t-elle accepté votre suggestion?/A-t-elle été d'accord...?)*

Get away with : He always gets away with it! *(= Il s'en tire toujours, sans être puni.)*

Get on with : Peter gets on with John very well. *(= Peter s'entend très bien avec John.)*

Go along with = Fall in with.

Go in for : He doesn't go in for football. *(= Il n'est pas intéressé par le football.)*

Go on with = Carry on with.

Join in with : Come and join in with us. *(= Venez vous joindre à nous.)*

Keep in with : I'll try to keep in with them. *(= J'essaierai de rester bien avec eux.)*

Keep up with : They could not keep up with me. *(= Ils n'ont pas pu me suivre; j'allais trop vite pour eux.)*

Look down on : They looked down on him. *(= Ils le considérèrent avec mépris.)*

Look forward to : I'm looking forward to hearing from you. *(= J'attends de vos nouvelles avec impatience.)*

Look out on : My house looks out on the river. *(= Ma maison a vue sur le fleuve.)*

Look up to : I've always looked up to Mr Smith. *(= J'ai toujours respecté M. Smith.)*

Make up for :	We'll have to make up for lost time. *(= Il nous faudra rattraper le temps perdu.)*
Put in for :	Are you putting in for that job? *(= Êtes-vous candidat à cet emploi?)*
Put up with :	I can't put up with all this noise. *(= Je ne peux pas tolérer tout ce bruit.)*
Run out of :	We've run out of money. *(= Nous n'avons plus d'argent.)*
Send away for :	We've sent away for books. *(= Nous avons commandé des livres par la poste.)*
Send off for	= Send away for.
Stand in for :	Don't worry, I'll stand in for you. *(= Ne vous en faites pas, je vous remplacerai.)*
Stand up for :	It was very kind of you to stand up for my proposals. *(= Cela a été gentil de votre part de soutenir mes propositions.)*
Stand up to :	Asbestos stands up to high temperatures. *(= L'amiante résiste à de hautes températures.)*
Stick out for :	We offered him eight pounds but he stuck out for ten. *(= Nous lui avons offert huit livres, mais il a continué à en exiger dix.)*
Stick up for :	Her parents always stick up for her. *(= Ses parents prennent toujours sa défense.)*
Take up with :	He's taken up with some strange people. *(= Il s'est lié d'amitié avec de drôles de gens.)*
Walk away with :	You'll walk away with all the prizes. *(= Tu gagneras facilement tous les prix.)*
Walk off with	= Walk away with.
Walk out on :	He's walked out on his wife. *(= Il a abandonné sa femme.)*
Write off for	= Send off for.

46. LES CONJONCTIONS

Les conjonctions sont des mots de liaison. On distingue généralement les conjonctions de coordination qui relient deux éléments de même nature (deux noms, deux verbes, deux propositions indépendantes, etc.) et les conjonctions de subordination qui permettent d'introduire des subordonnées de temps, de but, de cause, etc.

1. Les conjonctions de coordination simples
- **And** *(= et)*

> I've got a cat and a dog. (Deux noms.)
> She's just arrived and she is tired. (Deux propositions.)

- **Or** *(= ou, ou bien)*.

> Would you like tea or coffee? (Deux noms.)
> Do you want it black or white? (Deux adjectifs.)

Attention :

S'il y a plus de deux éléments (énumération), on les sépare grâce à une virgule et l'on place **and** ou **or** entre les deux derniers :

> I bought some butter, some milk, a few potatoes and a pound of sugar.
> Who came? Peter, John, Thomas or James?

- **But.** Cette conjonction exprime l'opposition (**but** = *mais*) :

> John was there but Peter wasn't.

2. Les conjonctions de coordination à deux termes
- **Either... or** *(= soit... soit/ou bien... ou bien)* :

> Either come in or go out. Don't stand in the doorway.
> You can have either tea or coffee for breakfast.

- **Neither... nor** *(= ni... ni)* :

> I like neither tea nor coffee.
> Neither John nor Mary are coming to our party.

- **Not only... but also** *(= non seulement... mais aussi)* :

> I not only read the book but also remembered what I had read = I read the book and even remembered what I had read.)

En général, on classe les conjonctions de subordination d'après leur sens et celui des subordonnées qu'elles relient aux principales.

Attention :

Beaucoup de conjonctions de subordination sont des mots qui jouent aussi le rôle de prépositions dans d'autres cas (**as, like, since,** etc.).

1. Les conjonctions de temps
Elles introduisent des subordonnées de temps *(voir n° 29, B)*.
- Indication d'un moment précis dans le temps.

When *(= quand)* :

> It was raining when we arrived. When we arrived, it was raining.

As *(= comme; au moment où)* :

> I saw Mary as she was getting off the bus.

As soon as *(= dès que)* :

> I'll give him your letter as soon as I see him.

- Indication d'une période.

Since *(= depuis que/depuis le moment où)* :
> We haven't seen Peter since he came back from Japan.

Before *(= avant que/avant le moment où)* :
> The poor man died before he reached the hospital.

After *(= après que/après le moment où)* :
> We arrived after they had left.

Till/until *(= jusqu'à ce que/jusqu'au moment où)* :
> Let's wait till/until the rain stops.

While *(= pendant que/tandis que)* :
> We saw John while we were out walking.

2. Les conjonctions de condition et d'hypothèse *(voir n° 27)*

- **If** *(= si,* exprimant une condition positive) :
> Peter will take the job if the salary is good.

- **If** *(= si,* exprimant une hypothèse) :
> If I were a rich man, I would buy a Rolls Royce.

- **Even if** *(= même si)* :
> Even if you leave now, you'll be late.

- **Unless** *(= à moins que,* condition négative) :
> Don't come unless I telephone.

- **As long as** *(= pourvu que)* :
> It doesn't matter what you do as long as you are happy

- **In case** *(= au cas où)* :
> I'll take an umbrella in case it rains.

- **Whether** *(= si,* exprimant l'alternative) :
> We don't know whether Peter will come (or not).

3. Les conjonctions de but

- **To/in order to/so as to** *(= de manière à, de façon à...)* :
> We'll get up early to catch the first train. (= We'll get up early in order to/so as to take the first train.)

Attention :

In order to et **so as to** appartiennent à un style plus formel. **To** est employé dans la langue courante.

- **So that/in order that** *(= pour que/de sorte que)* :
> I bought two books so that you can have one. (= ... in order that you can have one.)

4. Les conjonctions de cause

- **Because** *(= parce que)* :
> I was late because I missed the 8 o'clock train.

- **As/since** *(= comme/puisque)* :
> As we were late, we couldn't get a seat (= Since we were late, ...).

- **For** *(= car)* :
> I asked him to stay for tea, for I had something to tell him.

Attention :

La conjonction **for** ne se trouve jamais en début de phrase et s'emploie rarement dans la langue parlée.

5. Les conjonctions de concession ou de restriction

Elles introduisent des subordonnées de concession ou de restriction que les grammairiens britanniques regroupent souvent sous l'appellation de "sub-clauses of contrast".

- **Though/although** *(= quoique, bien que)* :
  > Although the weather was bad, we went for a walk.
  > (= Though the weather was bad, ...)

Remarque :

Dans la langue parlée, on utilise plus souvent **even though** (= *même si*) qui renforce l'idée de concession ou de contraste :
  > We went for a walk even though the weather was bad.

- **Whereas** *(= alors que)* :
  > They thought I was lying whereas I was telling the truth.
- **While** *(= bien que, alors que)* :
  > While I admit the thing is difficult, I do not think it impossible.

6. Les conjonctions de résultat

- **So** *(= donc, c'est pourquoi)* :
  > I didn't like the film, so I left before the end.
- **So that** *(= de sorte que)* :
  > Speak clearly so that you can be understood.
- **So/such... (that)...** *(= si... que...)* :
  > My dog is so old (that) he can't run any more.
  > He was in such a hurry that he forgot his bag.

7. La conjonction that

- Dans le discours indirect *(voir n° 28)*.
- **That** et la subordination simple.

Dans de nombreux cas, **that** ne sert que de simple mot de liaison entre la principale et la subordonnée complément d'objet. Dans ces cas, **that** est souvent omis :
  > I know that you're right (= I know you're right.)
- Lorsque **that** est en tête de phrase, on ne peut pas l'omettre :
  > It seems unlikely (that) he will come
  > That he will come seems unlikely.

- Dans les subordonnées de but introduites par **that,** on emploie le modal **may** :
  > Bring it nearer, that I may see it better. (= Bring it nearer, so that I may see it better.)

47. LA FORME EMPHATIQUE

Mettre l'emphase sur un mot, c'est le mettre en relief, attirer l'attention sur lui par divers moyens. Puisqu'on insiste sur un mot, on parle parfois de "forme d'insistance".

A. Mise en relief d'un mot ou d'une expression

1. L'accent emphatique
• Dans la langue parlée.
Lorsqu'on veut insister sur un mot (ou un groupe de mots), on le prononce en renforçant l'accent ("extra stress") :

> Mary can speak German. *(C'est Mary qui sait parler allemand, et pas moi, ni les autres.)*
>
> Mary can speak German. *(= Mary sait parler allemand, même si elle prétend le contraire, ou même si vous ne le croyez pas.)*
>
> Mary can speak German. *(= Mary sait parler allemand — mais elle ne sait pas l'écrire, par exemple.)*
>
> Mary can speak German. *(= Mary sait parler allemand — mais pas français, ou espagnol, etc.)*

• Dans la langue écrite.
Pour mettre un mot (ou une expression) en relief, on peut le souligner, ou l'imprimer dans des caractères différents des autres :

> I'm **French**, not Belgian.
> Don't say anything to ME.
> He told me he *couldn't* come.

2. Place des mots
On peut mettre un mot (ou une expression) en relief en le plaçant en tête de la proposition ou de la phrase. C'est un moyen que l'on peut utiliser avec un adverbe, un complément d'objet, ou un autre complément :

> Immediately, he understood what was going on.
> I like children, but this boy I don't like at all.
> 'Dolittle' the doctor was called.

Pour attirer l'attention de quelqu'un sur quelque chose que l'on voit, on utilise **here** ou **there** en tête de phrase. Dans ce cas, le verbe est au présent simple (il s'agit le plus souvent de **be, come** ou **go**). Si le sujet est un pronom, il se place avant le verbe. Si c'est un nom (ou un groupe nominal), il se place après :

> Where's Peter? Here he comes. *(= Le voici, regardez-le. Il vient.)*
> Here comes Peter.
> Where are my keys? There they are. *(= Elles sont là, regardez, les voilà.)*
> There are your keys, on the table.

3. Emploi de it + be

• Mise en relief d'un nom ou d'un groupe nominal.
On peut utiliser it + be + subordonnée relative :

> It was John who came yesterday.
> It's the new car (that) I told you about.

• Mise en relief d'un pronom.
La structure utilisée est it + be + pronom complément + subordonnée relative :

> It wasn't me that wrote this letter.

• Mise en relief d'un adverbe (ou d'une locution adverbiale).
It + be + adverbe + that + proposition :

> It was on Sunday that I saw Mary, not on Monday.

B. Mise en relief d'un verbe

La forme emphatique du verbe met en relief le sens de toute la phrase.

1. L'accent emphatique (voir A, 1)

La mise en relief d'un auxiliaire ou d'un modal se fait grâce à l'accent emphatique :

> This singer isn't very good. — Well, I think he is good.
> They told me you wouldn't come. — Well, I will come.

2. Addition de do/does/did accentué

• Au présent simple et au prétérit simple :

> I do like tea. It's a pity Mary doesn't like it. — But she does like it!
> Why didn't you finish your work? But I did finish it!

• A l'impératif :

> Do come and visit us any time. (= Please come...)
> Do sit down!
> Do be quiet!

48. LA FORMATION DES MOTS

Il existe trois procédés pour former des mots à partir d'autres mots. Le plus simple est la conversion *qui consiste à faire changer un mot de catégorie (un nom devient un verbe, par exemple). On peut aussi utiliser la* dérivation *qui permet de former un mot en ajoutant un "préfixe" ou un "suffixe" à un autre mot. La troisième manière de former des mots est la* composition, *qui est l'addition de deux mots (parfois plus). Il est bon de pouvoir reconnaître ces procédés, même s'il est difficile de les utiliser.*

Nous ne donnerons ici que quelques exemples parmi les plus courants.

Noms formés à partir de verbes :

Let's go for a walk and then we'll have a swim in the river.

Noms formés à partir d'adjectifs :

She doesn't like the blue of my tie.

Verbes formés à partir de noms :

The prisoners were chained to the wall.

Verbes formés à partir d'adjectifs :

And now, empty your glass.

B. La dérivation

1. Formation de noms

• Verbe + ing *(voir n° 31)* :

There were many people at the meeting.

• Suffixes indiquant une profession ou une activité (le plus souvent à partir d'un verbe ou d'un nom).

Baker, gardener, actor, historian, artist, accountant...

• Suffixes servant à former des noms abstraits.

— A partir de verbes:

Communication, conclusion, amusement, accountancy...

— A partir d'adjectifs :

Business, conscience, efficiency...

— A partir de verbes, d'adjectifs ou de noms :

Arrival, freedom, childhood, friendship...

2. Formation d'adjectifs

• Les suffixes

```
-y : cloudy, dirty...
-ly : friendly, homely...
-like : childlike, lifelike...
-ish : childish, foolish, British...
-ful : beautiful, careful...
-able, ible : acceptable, convertible...
-ive : attractive, impressive...
```

• Les préfixes :

```
un-, in- : unpleasant, incapable...
dis- : dishonest, disinterested...
```

3. Formation d'adverbes

• Les suffixes :

```
-ly : fairly, happily...
-wise : likewise, otherwise...
```

• Les préfixes :

be- : before, beneath...
per- : perchance, perhaps...
in/out- : inside, outside...

C. La composition

1. Les verbes composés et semi-composés *(voir n° 45).*

2. Les noms composés

• Formation par juxtaposition. Dans ce type de noms composés, le premier élément joue le rôle de déterminant du second, et reste invariable dans sa forme au singulier :

> a race-horse *(= un cheval de course);*
> a horse-race *(= une course de chevaux.)*
> a toothbrush (pluriel toothbrushes.)

Remarque :

Les noms composés s'écrivent en un seul mot, ou en deux mots séparés par un tiret, ou encore en deux mots (il n'y a pas de règle précise à ce sujet). Lorsque les noms composés sont fréquemment utilisés dans la langue, on les écrit plutôt en un seul mot : **bedroom.**

Nom + nom : a milkbottle *(= une bouteille à lait),* a policeman, a teapot...
Préposition/adverbe + nom : afternoon, outlaw...
Gérondif + nom : sitting room, swimming-pool...
• Formation syntaxique :
Verbe + complément : cut-throat, pickpocket...
Adjectif + nom : blackboard, grandparents...
Participe présent + nom : flying-fish, humming-bird...
Expressions usuelles : a forget-me-not, a mother-in-law...

3. Les adjectifs composés

Ils sont très nombreux et variés dans la langue anglaise. D'une manière générale, il convient de retenir que le premier terme détermine le second.
Adjectif + adjectif : dark-blue, light-grey...
Nom + adjectif : sea-sick, snow-white...
Adjectif/adverbe/nom + participe présent (ou participe passé) : good-looking, hard-working, white-painted.
Adjectif/nom + nom + ed : fair-haired, bad-tempered...
Autres formations :

> She is very well-thought-of as a teacher (= She is greatly admired as a teacher).
> He's a well-to-do man (= He has enough money to live comfortably).
> He's a would-be champion (= He's trying — or hoping, or merely pretending to be a champion).

4. Les adverbes composés *(Voir n° 43, B, 4.)*

49. L'ORTHOGRAPHE ET LA PRONONCIATION DES FINALES

Les modifications orthographiques sont fréquentes en anglais lorsqu'on ajoute un suffixe (dérivation) ou une marque grammaticale (désinence) à un radical. Il s'agit essentiellement d'addition ou de suppression de voyelle et de doublement de consonne. Quant à la prononciation des finales, elle obéit à des règles assez simples.

A. Les modifications orthographiques

1. Addition de e devant -s
Cela concerne un certain nombre de noms (ayant un pluriel régulier en -s) et de verbes ordinaires (à la 3ᵉ personne du singulier, au présent simple).

• La terminaison est -es après les sons /s/, /z/, /ʃ/, /ʒ/, /tʃ/ et /dʒ/. Il s'agit de noms ou de verbes terminés par les lettres -s, -z, -x, -sh, -ch :
> a cross - crosses, a dish - dishes, a watch - watches, a box - boxes, etc.
> to wash, he washes ; to relax, he relaxes ; to reach, he reaches ; to miss, he misses.

Attention :
Si le mot se termine par -e, la finale est -s : price - prices, to lose - he loses, to realize - he realizes.

• Certains mots terminés par -o ont une finale en -oes *(voir n° 34)* :
> a potato - potatoes, to go - he goes, to do - he does, etc.

Attention :
Cette règle n'est pas valable pour les mots d'origine étrangère :
> a photo - photos, a piano - pianos, crescendo - crescendos, lumbago - lumbagos, etc.

2. Suppression de -e
• On supprime -e devant une finale commençant par une voyelle (-ing, -ed, -er, est) :
> write - writing, love - loved, large - larger, nice - nicest, etc.

Cependant, si le -e fait partie d'un son voyelle, on ne le supprime pas devant -ing :
> to agree - agreeing.

• On ne supprime pas -e devant une finale commençant par une consonne :
> to make - he makes, nice - nicely, etc.

Pourtant, on supprime -e devant -ly pour **true** et **whole** :
> true - truly, whole - wholly.

- Quand un adjectif terminé par -able ou -ible devient adverbe, le -e se change en -y :

> probable - probably, possible - possibly, etc.

3. Transformation de -f/-fe en -ve devant -s *(voir n° 34)*.

4. Transformation de -y en i/ie

- Devant -s, -y se transforme en ie *(voir n° 34)* :

> a country - countries, a lady - ladies, to carry - he carries, etc.

Attention :

Cette règle n'est valable que si -y est précédé d'une consonne (cf. "he plays").

- -y devient i devant -ed, -er, -est, -ness, -less, -ly :

> to carry - carried, funny - funnier, happy - happiest, lucky - luckily, friendly - friendliness, etc.

Attention :

-y reste devant -ing : to carry - carrying.

5. Doublement de la consonne finale

Le problème du doublement de la consonne finale se pose devant les terminaisons commençant par une voyelle (-ing, -ed, -er, -est).

- Dans les mots courts (une seule syllabe) se terminant par une voyelle + une consonne, on double la consonne finale :

> plan - planning, stop - stopped, big - bigger, hot - hottest, etc.

Attention :

On ne double pas la consonne si celle-ci est -y ou -w :

> play - playing, show - showed, etc.

On ne double pas non plus la consonne finale si le mot se termine par -x ou par deux consonnes :

> box - boxed, short - shorter, etc.

Il en est de même si la voyelle précédant la consonne finale s'écrit en deux lettres :

> clean - cleaner, breed - breeding, etc.

- Dans les mots plus longs (deux syllabes et plus), on ne double la consonne que si la dernière syllabe est accentuée :

> begin/bɪ'gɪn/beginning.
> visit/'vɪzɪt/visiting.

Attention :

On double le -l en anglais britannique même si la syllabe finale n'est pas accentuée. On ne le fait pas en anglais américain :

> travel/'trævl/ - travelling - travelled (GB)
> traveled (US).

B. La prononciation des finales

1. Prononciation de -s/-es *(voir n° 34, A, 1.)*

2. La prononciation de -ed

• -ed se prononce /d/ après les voyelles et les sons consonnes (b, g, l, m, n, r, v, z, ʒ, ð) :

rubbed / rʌbd /, played / pleɪd /, refused / ri'fʒu:zd /, etc.

• -ed se prononce /t/ après les sons consonnes /f, k, p, ʃ, tʃ/ :

baked / beɪkt /, looked / lʊkt /, laughed / lɑ:ft /, etc.

• -ed se prononce /ɪd/ après les sons consonnes /d, t/ :

blended/'blendɪd/, waited/'weɪtɪd/, etc.

Attention :

-ed se prononce également /ɪd/ dans un certain nombre d'adjectifs :

blessed, jagged, learned, ragged, sacred, etc.

50. LES NOMBRES ET LEUR EMPLOI

A. Les adjectifs numéraux

1. Les cardinaux

1 one	11 eleven	21 twenty-one
2 two	12 twelve	22 twenty-two
3 three	13 thirteen	23 twenty-three
4 four	14 fourteen	24 twenty-four
5 five	15 fifteen	25 twenty-five
6 six	16 sixteen	26 twenty-six
7 seven	17 seventeen	27 twenty-seven
8 eight	18 eighteen	28 twenty-eight
9 nine	19 nineteen	29 twenty-nine
10 ten	20 twenty	30 thirty...

40 : forty, 50 : fifty, 60 : sixty, 70 : seventy, 80 : eighty, 90 : ninety, 100 : one hundred/a hundred
101 : one hundred and one ; 102 : one hundred and two ; etc.
1,000 : one thousand/a thousand
1,000,000 : one million/a million

Remarque :

Les adjectifs numéraux sont invariables : 200 = two hundred ; 3,000 = three thousand ; 4,000,000 = four million.

En anglais, on place une virgule tous les trois chiffres.
0 (zéro) se dit, selon les cas :
nil (= *rien*) ; nought (= *le nombre 0*) ; zero (température ou compte à rebours) ; O (comme la lettre, dans un numéro de téléphone, par exemple).

The score of the football match was four-nil
(= quatre-zéro).
Four minus four is nought (= *zéro*).

2. Les ordinaux

1st	first	11th	eleventh	21st	twenty-first
2nd	second	12th	twelfth	22nd	twenty-second
3rd	third	13th	thirteenth	23rd	twenty-third
4th	fourth	14th	fourteenth	24th	twenty-fourth
5th	fifth	15th	fifteenth	25th	twenty-fifth
6th	sixth	16th	sixteenth	26th	twenty-sixth
7th	seventh	17th	seventeenth	27th	twenty-seventh
8th	eighth	18th	eighteenth	28th	twenty-eight
9th.	ninth	19th	nineteenth	29th	twenty-ninth
10th	tenth	20th	twentieth	30th	thirtieth...

100th : hundredth ; 1,000th : thousandth ; etc.

Remarque :

Les ordinaux peuvent être adjectifs ou noms (dans ce cas ils sont précédés de **the** ou d'un cardinal).

B. Comment lire les nombres

1. Les nombres entiers

3,541,478 : three million, five hundred and forty-one thousand, four hundred and seventy-eight.

2. Les nombres décimaux

En anglais, on met un point (au lieu d'une virgule en français) et on le lit.

35.7 : thirty-five point seven.

3. Les fractions

1/2 = one half ; 1/3 = one third ; 1/4 = one quarter ; 1/5 = one fifth ; etc.

Attention :

3/2 = three halves ; 3/4 = three quarters ; 6/8 = six eighths ; etc.

5. Les quatre opérations

• Addition.

4 + 3 = 7

four plus three equals seven / four and three are seven / four plus three is seven.

• Soustraction.

65 − 19 = 46

sixty-five minus nineteen equals/is forty-six (ou : nineteen out of sixty-nine is forty-six).

• Multiplication.

4 × 8 = 32

four multiplied by eight equals thirty-two / eight times four are forty-two / eight fours are thirty-two.

• Division.

30 : 5 = 6

thirty divided by five equals/is six.

6. Les numéros

Ils se lisent normalement de 1 à 100. Au-delà, on lit chaque chiffre.

- Numéro de chambre, ou de vol d'avion, par exemple.

  Flight 609 : six, o, nine (= *vol 609*).

  Room 258 : two, five, eight (= *chambre 258*).

- Numéro de téléphone.

  318 2542 : three, one, eight, two, five, four, two.

Remarque :

On ne met un espace entre les numéros que pour mettre en valeur le numéro correspondant à l'indicatif ou la zone d'appel.

C. Comment lire la date et l'heure

1. La date

Remarque :

On utilise des ordinaux pour les jours. En ce qui concerne les années, on lit de 1 à 1000 comme un nombre entier. A partir de 1001, on lit en deux nombres entiers :

   1066 : ten, sixty-six ; 1985 : nineteen, eighty-five.

   Mais 1900 = nineteen hundred ; 1906 = nineteen, o, six.

La date peut s'écrire de différentes façons :

   2nd May ; May 2nd ; 2 May.

Elle se lit :

   May (the) second (ou : the second of May).

2. L'heure

En anglais comme en français, on peut lire l'heure de façon familière et de façon "officielle" :

   It is 6.15 — six fifteen *(= il est six heures quinze)*.

   It is 6.15 — it is (a) quarter past six *(= il est six heures un quart)*.

Le découpage de 0 à 24 est peu employé, sinon pour les horaires de transport (train ou avion). On préfère utiliser a.m. *(ante meridiem)* de 0 à 12 heures, et p.m. (post meridiem) de 12 à 24 heures.

Ainsi, 17 h 15 se dira "(a) quarter past five in the afternoon", ou "five fifteen p.m.".

Attention :

Jusqu'à la demi-heure, on emploie **past,** et de la demi-heure à l'heure suivante, on utilise **to** :

   Huit heures dix = ten past eight ; *dix heures et demie* = half past ten.

   Quatre heures moins vingt = twenty to four ; etc.

Remarque :

On se sert d'ordinaux pour désigner les rois et les reines :

   Henry VIII : Henry the eighth

   Louis XIV : Louis the fourteenth

   Elisabeth II : Elizabeth the second.

CONJUGAISON D'UN VERBE REGULIER :
TO WORK

Temps	Affirmation	Négation	Interrogation
Indicatif : présent simple	I (we, you, they) work He (she, it) works	I (we, you, they) do not (don't) work He (she, it) does not (doesn't) work	Do I (we, you, they) work? Does he (she, it) work?
présent progressif	I am ('m) working He (she, it) is ('s) working We (you, they) are ('re) working	I am not (I'm not) working He (she, it) is not (isn't) working We (you, they) are not (aren't) working	Am I working? Is he (she, it) working? Are we (you, they) working?
"simple past"	I (he, she, it, we, you, they) worked	I (he, she, it, we, you, they) did not (didn't) work	Did I (he, she, it, we, you, they) work?
prétérit progressif	I (he, she, it) was working We (you, they) were working	I (he, she, it) was not (wasn't) working We (you, they) were not (weren't) working	Was I (he, she, it) working? Were we (you, they) working?
"present perfect"	I (we, you, they) have ('ve) worked He (she, it) has ('s) worked	I (we, you, they) have not (haven't) worked He (she, it) has not (hasn't) worked	Have I (we, you, they) worked? Has he (she, it) worked?
"pluperfect"	I (he, she, it, we, you, they) had ('d) worked	I (he, she, it, we, you, they) had not (hadn't) worked	Had I (he, she, it, we, you, they) worked?
"future"	I (we) shall ('ll) work He (she, it, you, they) will ('ll) work	I (we) shall not (shan't work) He (she, it, you, they) will not (won't work)	Shall I (we) work? Will he (she, it, you, they) work?
Conditionnel : présent	I (we) should ('d) work He (she, it, you, they) would ('d) work	I (we) should not (shouldn't) work He (she, it, you, they) would not (wouldn't) work	Should I (we) work? Would he (she, it, you, they) work?
passé	I (we) should have worked He (she, it, you, they) would have worked	I (we) should not have worked He (she, it, you, they) would not have worked	Should I (we) have worked? Would he (she, it, you, they) have worked?

Temps	Affirmation	Négation	Interrogation
Impératif :	Let me work Work Let him (her, it) work Let us (Let's) work Let them work	Don't let me work Don't work Don't let him (her, it) work Don't let them work	
Participe : présent passé	Working Worked		
Infinitif :	To work	Not to work	

CONJUGAISON DE TO HAVE

Temps	Affirmation	Négation	Interrogation
Indicatif :			
"present"	I have (I've) He has (he's)	I have not (I haven't) He has not (he hasn't)	Have I? Has he?
"simple past"	I had (I'd)	I had not (I hadn't)	Had I?
"present perfect"	I have had (I've had) He has had (He's had)	I have not had (I haven't had) He has not had (He hasn't had)	Have I had? Has he had?
"pluperfect"	I had had (I'd had)	I had not had (I hadn't had)	Had I had?
"future"	I (we) shall have (I'll have) He (you, they) will have (He'll have)	I (we) shall not have (I shan't have) He (you, they) will not have (He won't have)	Shall I (we) have? Will he (you, they) have?
Conditionnel :			
"present"	I (we) should have (I'd have) He (you, they) would have (He'd have)	I (we) should not have (I shouldn't have) He (you, they) would not have (He wouldn't have)	Should I (we) have? Would he (you, they) have?
"past"	I should have had	I should not have had	Should I have had?

Temps	Affirmation	Négation	Interrogation
Impératif :	Let me have Have Let him (her) have Let us have (Let's have) Let them have	Don't let me have Don't have Don't let him (her) have Don't let us have Don't let them have	
Participe : "present" "past"	Having Had		
Infinitif :	To have	Not to have	

* Dans de nombreux cas, où **to have** n'est pas auxiliaire, la conjugaison est normale en utilisant **to do** :

| | You had | You did not have | Did you have? |

CONJUGAISON DE TO BE

Temps	Affirmation	Négation	Interrogation
Indicatif : "present"	I am (I'm) He (she, it) is (He's) We (you, they) are (We're)	I am not (I'm not) He (she, it) is not (He isn't) We (you, they) are not (We aren't)	Am I? Is he (she, it)? Are we (you, they)?
"simple past"	I was He (she, it) was We (you, they) were	I was not (I wasn't) He (she, it) was not (He wasn't) We (you, they) were not (We weren't)	Was I? Was he (she, it)? Were we (you, they)?
"present perfect"	I have been (I've been) He (she, it), has been (He's been) We (you, they) have been (We've been)	I have not been (I haven't been) He (she, it) has not been (He hasn't been) We (you, they) have not been (We haven't been)	Have I been? Has he (she, it) been? Have we (you, they) been?
"pluperfect"	I had been (I'd been)	I had not been (I hadn't been)	Had I been?

Temps	Affirmation	Négation	Interrogation
"future"	I (we) shall be (I'll be) He (you, they) will be (He'll be)	I (we) shall not be (I shan't be) He (you, they) will not be (He won't be)	Shall I (we) be? Will he (you, they) be?
Conditionnel : "present" "past"	I (we) should be (I'd be) He (you, they) would be I should have be	I (we) should not be (I shouldn't be) He (you, they) would not be I should not have been	Should I (we) be? Would he (you, they) be? Should I have been?
Impératif :	Let me be Be Let him (her, it) be Let us be (Let's be) Let them be	Don't let me be Don't be Don't let him (her, it) be Don't let us be Don't let them be	
Participe : "present" "past"	Being Been		
Infinitif :	To be	Not to be	

LES VERBES IRREGULIERS

*Les verbes les plus rares ont été omis de cette liste. Les verbes précédés de * ont également une forme régulière.*

Infinitif	Prétérit	Participe passé	Traduction
to arise	arose	arisen	s'élever
* to awake	awoke	awoke	(s')éveiller
to be	was, were	been	être
to bear	bore	borne	porter, supporter
to beat	beat	beaten	battre
to become	became	become	devenir
to beget	begot	begotten	engendrer
to begin	began	begun	commencer
to behold	beheld	beheld	contempler
to bend	bent	bent	courber
to bet	bet	bet	parier
to bid	bade	bidden	ordonner
to bind	bound	bound	lier
to bite	bit	bitten	mordre
to bleed	bled	bled	saigner
* to blend	blent	blent	mélanger
to blow	blew	blown	souffler
to break	broke	broken	briser, casser
to breed	bred	bred	produire, élever
to bring	brought	brought	apporter
to build	built	built	bâtir, construire
* to burn	burnt	burnt	brûler
to burst	burst	burst	éclater
to buy	bought	bought	acheter
to cast	cast	cast	lancer
to catch	caught	caught	attraper
to choose	chose	chosen	choisir
to cling	clung	clung	s'accrocher
to come	came	come	venir
to cost	cost	cost	coûter
to creep	crept	crept	ramper
to cut	cut	cut	couper
* to dare	durst	dared	oser, défier
to deal	dealt	dealt	négocier, distribuer
to dig	dug	dug	creuser, bêcher
to do	did	done	faire
to draw	drew	drawn	tirer, dessiner
* to dream	dreamt	dreamt	rêver
to drink	drank	drunk	boire
to drive	drove	driven	conduire
to dwell	dwelt	dwelt	habiter, demeurer
to eat	ate	eaten	manger
to fall	fell	fallen	tomber
to feed	fed	fed	(se) nourrir
to feel	felt	felt	(se) sentir, ressentir
to fight	fought	fought	se battre, combattre
to find	found	found	trouver
to flee	fled	fled	s'enfuir
to fling	flung	flung	jeter violemment
to fly	flew	flown	voler (ailes)
to forbid	forbade	forbidden	interdire

Infinitif	Preterit	Participe passé	Traduction
to forget	forgot	forgotten	oublier
to forgive	forgave	forgiven	pardonner
to freeze	froze	frozen	geler
to get	got	got (U.S. gotten)	obtenir
to give	gave	given	donner
to go	went	gone	aller
to grind	ground	ground	moudre
to grow	grew	grown	croître, cultiver
to hang	hung	hung	pendre, suspendre
to have	had	had	avoir
to hear	heard	heard	entendre
to hide	hid	hid(den)	cacher
to hit	hit	hit	frapper
to hold	held	held	tenir
to hurt	hurt	hurt	blesser, faire mal
to keep	kept	kept	garder, conserver
to kneel	knelt	knelt	s'agenouiller
* to knit	knit	knit	tricoter
to know	knew	known	savoir, connaître
to lay	laid	laid	poser
to lead	led	led	mener, conduire
* to lean	leant	leant	s'appuyer
* to leap	leapt	leapt	sauter, bondir
* to learn	learnt	learnt	apprendre
to leave	left	left	laisser, quitter
to lend	lent	lent	prêter
to let	let	let	laisser, louer
to lie	lay	lain	être couché
* to light	lit	lit	allumer, éclairer
to lose	lost	lost	perdre
to make	made	made	faire, fabriquer
to mean	meant	meant	signifier, vouloir dire
to meet	met	met	rencontrer
to mistake	mistook	mistaken	se méprendre
to mow	mowed	mown	faucher
to overcome	overcame	overcome	vaincre
to pay	paid	paid	payer
to put	put	put	poser, mettre
to read	read	read	lire
to rend	rent	rent	déchirer
to ride	rode	ridden	aller à cheval
to ring	rang	rung	sonner
to rise	rose	risen	se lever, s'élever
to run	ran	run	courir
* to saw	sawed	sawn	scier
to say	said	said	dire
to see	saw	seen	voir
to seek	sought	sought	chercher (lit.)
to sell	sold	sold	vendre
to send	sent	sent	envoyer
to set	set	set	poser, fixer
to sew	sewed	sewn	coudre
to shake	shook	shaken	secouer
to shed	shed	shed	verser (des larmes)
to shine	shone	shone	briller
to shoot	shot	shot	tirer, fusiller
to show	showed	shown	montrer

Infinitif	Preterit	Participe passé	Traduction
to shrink	shrank	shrunk	(se) rétrécir
to shut	shut	shut	fermer
to sing	sang	sung	chanter
to sink	sank	sunk	sombrer
to sit	sat	sat	être assis
to slay	slew	slain	tuer
to sleep	slept	slept	dormir
to slide	slid	slid	glisser
to slit	slit	slit	fendre
* to smell	smelt	smelt	sentir (avec le nez)
* to sow	sowed	sown	semer
to speak	spoke	spoken	parler
to speed	sped	sped	(se) hâter
to spell	spelt	spelt	épeler
to spend	spent	spent	dépenser, passer le temps
* to spill	spilt	spilt	répandre
to spit	spat	spat	cracher
to split	split	split	(se) fendre
* to spoil	spoilt	spoilt	gâter
to spread	spread	spread	(s')étendre
to spring	sprang	sprung	bondir, jaillir
to stand	stood	stood	se tenir debout
to steal	stole	stolen	dérober
to stick	stuck	stuck	coller
to sting	stung	stung	piquer (insectes)
to stink	stank	stunk	sentir mauvais
to stride	strode	stridden	marcher à grands pas
to strike	struck	struck	frapper
to strive	strove	striven	s'efforcer
to swear	swore	sworn	jurer
to sweep	swept	swept	balayer
* to swell	swelled	swollen	enfler
to swim	swam	swum	nager
to swing	swung	swung	(se) balancer
to take	took	taken	prendre
to teach	taught	taught	enseigner
to tear	tore	torn	déchirer
to tell	told	told	dire, raconter
to think	thought	thought	penser
to thrive	throve	thriven	prospérer
to throw	threw	thrown	jeter
to thrust	thrust	thrust	fourrer, pousser
to tread	trod	trodden	fouler aux pieds
to undergo	underwent	undergone	subir
to understand	understood	understood	comprendre
to undertake	undertook	undertaken	entreprendre
to upset	upset	upset	renverser, bouleverser
* to wake	woke	woken, woke	éveiller
to wear	wore	worn	porter (vêtements)
to weave	wove	woven	tisser
to weep	wept	wept	pleurer
to win	won	won	gagner, vaincre
to wind	wound	wound	tourner, remonter
to withdraw	withdrew	withdrawn	(se) retirer
to wring	wrung	wrung	tordre, arracher
to write	wrote	written	écrire

127

Impressions Dumas – Saint-Étienne (Loire)
Dépôt légal : octobre 1987 – Imprimeur n° 28212
Dépôt légal 1ʳᵉ édition : 2ᵉ trimestre 1985
Imprimé en France